DEUTSCH ALS FREMDSPRACHE

Themen 1 aktuell

▶ **Kursbuch +**
Arbeitsbuch

Lektion 6–10

von

Hartmut Aufderstraße

Heiko Bock

Karl-Heinz Eisfeld

Mechthild Gerdes

Hanni Holthaus

Jutta Müller

Helmut Müller

Uthild Schütze-Nöhmke

Max Hueber Verlag

Piktogramme

 Hörtext oder Hör-Sprech-Text auf CD oder Kassette (z.B. CD 1, Nr. 3)

 Lesen

 Schreiben

 Hinweis auf die Grammatikübersicht im Anhang zum Kursbuch (nach S. 144)

 Dieses Werk folgt der seit dem 1. August 1998 gültigen Rechtschreibreform. Ausnahmen bilden Texte, bei denen künstlerische, philologische oder lizenzrechtliche Gründe einer Änderung entgegenstehen.

Das Werk und seine Teile sind urheberrechtlich geschützt.
Jede Verwertung in anderen als den gesetzlich zugelassenen Fällen
bedarf deshalb der vorherigen schriftlichen Einwilligung des Verlags.

€ 3. 2. 1. | Die letzten Ziffern
2007 06 05 04 03 | bezeichnen Zahl und Jahr des Druckes.
Alle Drucke dieser Auflage können, da unverändert, nebeneinander benutzt werden.
1. Auflage
© 2003 Max Hueber Verlag, D-85737 Ismaning
Umschlagfoto: © Rainer Binder, Bavaria Bildagentur, Gauting
Zeichnungen: martin guhl www.cartoonexpress.ch
Druck und Bindung: Schoder Druck Gersthofen
Printed in Germany
ISBN 3–19–191690–3

INHALT

Liebe ist die beste Medizin!

Gesundheit ist das höchste Gut!

Die Stirne kühl, die Füße warm, das macht den reichsten Doktor arm!

Besser reich und gesund als arm und krank!

KRANKHEIT

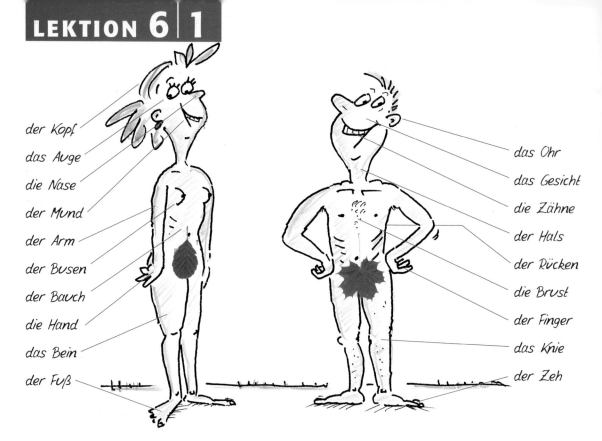

der Kopf
das Auge
die Nase
der Mund
der Arm
der Busen
der Bauch
die Hand
das Bein
der Fuß

das Ohr
das Gesicht
die Zähne
der Hals
der Rücken
die Brust
der Finger
das Knie
der Zeh

1. Frau Bartels und Herr Kleimeyer sind immer krank.

§ 6b)

Frau Bartels hat jeden Tag eine Krankheit.
Montag kann sie nicht arbeiten, ihr Hals tut weh.
Dienstag kann sie nicht …, ihr … tut weh.

Auch Herr Kleimeyer hat jeden Tag eine Krankheit.
Montag tut sein Rücken weh, und er kann nicht schwimmen.
Dienstag tut …, und …

arbeiten	hören	einkaufen
aufräumen	schlafen	
rauchen	aufstehen	essen
feiern	fernsehen	
Auto fahren	sprechen	
lesen	kochen	sehen
schwimmen	trinken	
fotografieren	schreiben	
Fußball / Tennis	spielen	
Rad fahren	gehen	
Deutsch lernen	tanzen	

2. Er/sie ist krank. Was hat er/sie?

Seine	Brust	tut weh.
Ihre	Hand	
	Nase	

Er	hat	Zahnschmerzen.
Sie		Kopfschmerzen.
		Bauchschmerzen.

Sein	Zahn	tut weh.
Ihr	Kopf	
	Bauch	
	...	

Seine	Beine	tun weh.
Ihre	Zähne	
	Füße	

Er	hat	Grippe.
Sie		Fieber.
		Durchfall.

Er	ist erkältet.
Sie	

3. Hören Sie die Gespräche und kreuzen Sie an.

2/1-4

Herr Kaleschke	Peter	Walter	Frau Herzog	
		X		hat Kopfschmerzen.
			X	hat Schnupfen.
	X			hat Husten.
X				hat Grippe.
			X	muss Klavier spielen.
X				kann nicht arbeiten.
		X		möchte nicht mitkommen.
	X			nimmt Hustenbonbons.

				Wer bekommt diesen Rat?	
			X	„Nehmen Sie Nasentropfen."	§ 26
X				„Bleiben Sie im Bett."	
	X			„Trink Hustentee."	
		X		„Nimm eine Tablette."	

Sprechstunde
Leser fragen – Dr. Braun antwortet

Dr. med. C. Braun
beantwortet Leserfragen über das Thema Gesundheit und Krankheit.
Schreiben Sie an das Gesundheitsmagazin. Ihre Frage kann auch für andere
Leser wichtig sein.

1
Sehr geehrter Herr Dr. Braun,
mein Magen tut immer so weh. Ich bin auch sehr nervös und
kann nicht schlafen. Mein Arzt weiß auch keinen Rat. Er sagt
nur, ich soll nicht so viel arbeiten. Aber das ist unmöglich.
Willi M., Rinteln

A
Ihre Schmerzen können sehr gefährlich sein. Da kann ich leider keinen Rat geben; Sie müssen unbedingt zum Arzt gehen.
Warten Sie nicht zu lange!

2
Lieber Doktor Braun,
ich habe oft Halsschmerzen, und dann bekomme ich immer Penizillin. Ich will aber kein Penizillin nehmen. Was soll ich tun?
Erna E., Bottrop

B
Sie wollen keine Antibiotika nehmen, das verstehe ich. Seien Sie dann aber vorsichtig! Gehen Sie nicht oft schwimmen, trinken Sie Kamillentee und machen Sie jeden Abend Halskompressen. Vielleicht kaufen Sie ein Medikament aus Pflanzen, zum Beispiel Echinacea-Tropfen. Die bekommen Sie in der Apotheke oder Drogerie.

3
Lieber Doktor Braun,
ich habe oft Schmerzen in der Brust, besonders morgens. Ich
rauche nicht, ich trinke nicht, ich treibe viel Sport und bin
sonst ganz gesund. Was kann ich gegen die Schmerzen tun?
Herbert P., Bonn

C
Ihr Arzt hat Recht. Magenschmerzen, das bedeutet Stress!
Vielleicht haben Sie ein Magengeschwür. Das kann schlimm sein! Sie müssen viel spazieren gehen. Trinken Sie keinen Kaffee und keinen Wein. Sie dürfen auch nicht fett essen.

4. Welcher Leserbrief und welche Antwort passen zusammen?

5. Herr P., Frau E., Herr M.

Wer hat ...	Herr / Frau ...	Was soll er / sie tun?	Was soll er / sie nicht tun?
Brustschmerzen? Halsschmerzen? Magenschmerzen?	*Herbert P.*	*vorsichtig sein,*	*fett essen,*

Welche Ratschläge gibt Dr. Braun?

§ 35
§ 25

Frau E. soll vorsichtig sein.
Herr ... soll nicht fett essen und keinen Wein trinken.
Herr ...
Frau ...

6. Üben Sie.

● Möchtest du einen Kaffee?
▨ Nein danke, ich darf nicht.
● Warum denn nicht?
▨ Ich habe ein Magengeschwür.
   Der Arzt sagt, ich soll keinen Kaffee trinken.
● Darfst du denn Tee trinken?
▨ Oh ja, das soll ich sogar.

> Kaffee – ein Magengeschwür haben – Tee
> Eis essen – Durchfall haben – Schokolade
> Kuchen – Verstopfung haben – Obst
> Schweinebraten – zu dick sein – Salat
> Kaffee – nervös sein – Milch
> Butter – zu viel Cholesterin haben – Margarine
> ...

7. Beim Arzt in der Sprechstunde. Hören Sie zu und beantworten Sie die Fragen.

2/5

a) Was für Schmerzen hat Herr Heidemann?
b) Isst Herr Heidemann viel?
c) Muss er viel arbeiten?
d) Trinkt er Bier oder Wein?
e) Trinkt er viel Kaffee?
f) Raucht er?
g) Nimmt er Tabletten?
h) Was sagt die Ärztin: Welche Krankheit hat Herr Heidemann?
i) Was soll Herr Heidemann jetzt tun?
j) Wie oft soll er das Medikament nehmen?

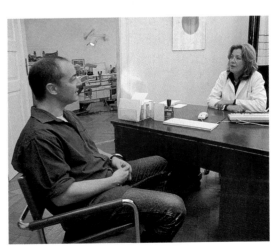

Schlafstörungen

Tipps für eine ruhige Nacht

- Gehen Sie abends spazieren oder nehmen Sie ein Bad (es muss schön heiß sein!)

- Die Luft im Schlafzimmer muss frisch sein. Das Zimmer muss dunkel sein und darf höchstens 18 Grad warm sein.

- Nehmen Sie keine Medikamente. Trinken Sie lieber einen Schlaftee.

- Auch ein Glas Wein, eine Flasche Bier oder ein Glas Milch mit Honig können helfen.

- Schreiben Sie Ihre Probleme auf. Sie stehen dann auf dem Papier und stören nicht Ihren Schlaf.

- Hören Sie leise Musik.

- Machen Sie Meditationsübungen oder Yoga.

Jeden Morgen das Gleiche: Der Wecker klingelt, doch Sie sind müde und schlapp. Sie möchten gern weiterschlafen – endlich einmal ausschlafen... Für jeden vierten Deutschen (davon mehr als zwei Drittel Frauen) sind die Nächte eine Qual – sie können nicht einschlafen oder wachen nachts häufig auf.
Gegen Schlafstörungen soll man unbedingt etwas tun, denn sie können krank machen. Zuerst muss man die Ursachen kennen. Zu viel Kaffee, Zigaretten oder ein schweres Essen am Abend, aber auch Lärm, zu viel Licht oder ein hartes Bett können den Schlaf stören. Manchmal sind aber auch Angst, Stress oder Konflikte die Ursache. Was können Sie also tun?

Und dann:
Schlafen Sie gut!

---

8. Was soll/kann man gegen Schlafstörungen tun?

Man soll abends spazieren gehen.
Man kann auch ...
Man soll ...

9. Ein Freund / eine Freundin hat Schlafstörungen. Welche Ratschläge können Sie geben?

❯
§ 26
§ 34

Geh abends spazieren!
Nimm ...
Trink ...

10. Welche Ratschläge können Sie geben bei ...?

Erkältung	Magenschmerzen
Halsschmerzen	Durchfall
Kopfschmerzen	Zahnschmerzen
Fieber	Kreislaufstörungen
Schnupfen	...

> Obst essen   Kamillentee trinken
> Sport treiben
> nicht rauchen
> Spaziergang machen
> Vitamintabletten nehmen

Rolf besucht seinen Freund Jochen. Jochen ist erkältet und hat Fieber.
Rolf und Jochen spielen zusammen in einer Fußballmannschaft.
Am Samstag ist ein sehr wichtiges Spiel.
Jochen soll unbedingt mitspielen: Seine Mannschaft braucht Jochen, denn er spielt sehr gut.

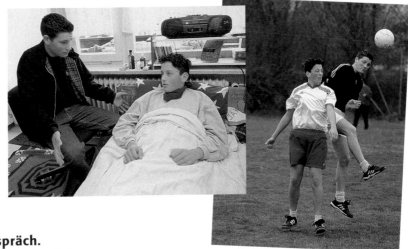

2/6

11. Hören Sie erst das Gespräch. Rekonstruieren Sie dann den Dialog.

(Der Text auf CD oder Kassette ist nicht genau gleich!)

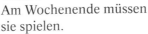

Ach, dein Arzt! Komm, spiel doch mit.

Ich habe Fieber.   Das sagst du! Aber mein Arzt sagt, ich soll im Bett bleiben.

Jochen, du musst am Samstag unbedingt mitspielen.   Na, dann nicht. Also gute Besserung!

Nein, ich will lieber im Bett bleiben.   Ein bisschen Fieber, das ist doch nicht so schlimm.

90 Minuten kannst du bestimmt spielen.   Ich möchte ja gern, aber ich kann wirklich nicht.

12. Schreiben Sie einen ähnlichen Dialog mit Ihrem Nachbarn. Spielen Sie dann den Dialog. Hier sind weitere Situationen:

Roland hat Magenschmerzen.
Er spielt in einer Jazzband Gitarre.
Am Wochenende müssen sie spielen.

Frau Wieland ist Buchhalterin.
Sie ist seit 10 Tagen krank.
Sie hat Rückenschmerzen.
Ihr Chef, Herr Knoll, ruft an.
Sie soll kommen, denn es gibt Probleme in der Buchhaltung.

Mensch, Lisa, was hast du denn gemacht?

Was ist denn bloß passiert?

Na ja, es ist Samstag passiert ...

Erzähl mal!

1 Dann habe ich die Flaschen nac unten gebracht.

13. Und was ist nun wirklich passiert?

Ordnen Sie die Bilder
Es gibt drei Geschichten. (Nur eine ist wirklich passiert.)

A |1 | 1 | 10 | 3
B | 2 | 9 | 8 | 7
C | 12 | 6 | 5 | 4

5 Mein Kollege ist gekommen und hat geholfen.

2/7-9
14. Hören Sie die drei Geschichten auf CD oder Kassette.

›
§ 29, 30
§ 37

15. Erzählen Sie die Geschichten mit Ihren Worten:

Am Samstag hat Lisa ...
Dann/Plötzlich ...

er/sie **hat** ...		er/sie **ist** ...
gearbeitet	geholt	aufgestanden
aufgeräumt	gesagt	gefallen
gebracht	geschrien	gegangen
geholfen	wehgetan	hingefallen
		gekommen
		gefahren

9 Dann bin ich hingefallen.

2 Ich bin Rad gefahren.

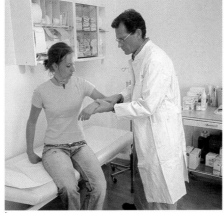

3 Mein Arm hat sehr wehgetan und ich bin zum Arzt gegangen.

4 Mensch, da habe ich laut geschrien.

5 Plötzlich ist meine Hand in die Maschine gekommen.

7 Meine Freundin hat den Arzt geholt. Er hat gesagt: „Das Bein ist gebrochen."

8 Das Bein hat sehr wehgetan. Ich bin nicht wieder aufgestanden.

0 Plötzlich bin ich gefallen.

11 Ich habe die Küche aufgeräumt.

12 Ich habe wie immer an der Maschine gearbeitet.

16. Was braucht man im Winterurlaub?

der Pullover

die Skihose

die Handschuhe

die Mütze

der Schal

die Skibrille

das Verbandszeug

das Medikament

das Pflaster

das Briefpapier

die Kranken-
versicherungskarte

17. Was sagen die Eltern?

Heike und Hartmut fahren nach Lenggries
in Bayern. Sie wollen dort Ski fahren.
Heute packen sie ihre Koffer.

Die Eltern sagen:

Nehmt ... mit!
Packt auch ... ein!
Vergesst ... nicht!

> die Skihosen
> die Schals
> die Mützen
> ...

§ 26

2/10

18. Am Bahnhof

Was haben Heike und Hartmut eingepackt?

- Skihosen
- Pullover
- Schals
- Skibrillen
- Handschuhe
- Medikamente
- Krankenversicherungskarte
- Verbandszeug
- Briefpapier

19. Üben Sie.

§ 6b)

a)

- Habt *ihr eure* | Skihosen | eingepackt?
  ... | mitgenommen?

- Ja, *unsere* Skihosen | eingepackt.
  haben *wir* | mitgenommen.

- Nein, *unsere* Skihosen | nicht eingepackt.
  haben *wir* | nicht mitgenommen.
  | vergessen.

b)

- Haben *die beiden ihre* Skihosen dabei?

- Ja, *ihre* Skihosen haben *sie* dabei.

- Nein, *ihre* Skihosen haben *sie* nicht dabei.

Hartmut hat in Lenggries Skifahren gelernt.
Der Skikurs hat drei Wochen gedauert.

Hier das Tagesprogramm:

20. Erzählen Sie:

aufstehen – getup

Hartmut ist jeden Tag um 7.00 aufgestanden ...

Skikurs
Anfänger 3

Lehrer: Hannes Pfisterer

7.00	aufstehen
7.45	Frühstück
9.00–11.00	Skiunterricht
11.30	Mittagessen
13.00–15.00	Skiunterricht
18.00	Abendessen

frühstücken	–	hat gefrühstückt
Ski fahren	–	ist Ski gefahren
trinken	–	hat getrunken
essen	–	hat gegessen
haben	–	hatte / hat gehabt
sein	–	war / ist gewesen

Aber ein Tag war ein Unglückstag.   *BAD LUCK*
Erzählen Sie:

Skifahren/laufen

getrunken

H. ist in der Schnee gefallen

Der eingebildete Kranke

● Herr Doktor, ich bin nicht gesund.

■ So? Wo fehlt's denn?

● Das weiß ich auch nicht.

■ Sie wissen es nicht ... aber Sie sind krank?

● Krank? Glauben Sie, ich bin krank?

■ Ich frage Sie! Ich weiß das nicht.

● Aber – Sie sind doch der Arzt!

■ Haben Sie denn Schmerzen?

● Bis jetzt nicht. Aber vielleicht kommt das noch.

■ Unsinn! Essen Sie normal?

● Wenig, Herr Doktor, sehr wenig.

■ Das heißt, Sie haben keinen Appetit?

● Oh doch! Ich esse zwar wenig, aber das dann mit viel Appetit.

■ Aha! Trinken Sie auch sehr wenig?

● Nein, Herr Doktor, ich trinke sehr viel. Bier, Limonade, und vor allem Wasser. Ich habe immer einen furchtbaren Durst.

■ Interessant. Woher kommt wohl dieser Durst?

● Na ja, ich schwitze sehr viel.

■ So? Und warum schwitzen Sie so viel?

● Ich ... wissen Sie ... ich laufe ständig zum Arzt ...

■ Ich verstehe. – Wo sind Sie versichert?

● Versichert? Ich ... ich bin nicht versichert.

■ Aha! Gut. Ich schicke Ihnen dann die Rechnung.

● Die Rechnung, ach so ... Sehen Sie, Herr Doktor, jetzt schwitze ich schon wieder ...

fernsehen

Wohnung aufräumen

kochen

ins Bett gehen

Brief schreiben

im Internet etwas suchen

im Garten arbeiten

Blumen gießen

Kaffe trinken, Zeitung lesen

essen gehen

Freunde treffen

ins Konzert gehen

ein Bild malen

ins Kino gehen

ins Theater gehen

ein Buch lesen

ALLTAG

Hausaufgabe

1.) Was meinen Sie? Was haben die Personen gerade gemacht?

Nr. ... | hat | gerade ...
| ist |

geschlafen   geheiratet
Essen gekocht
ein Sonnenbad genommen
eine Flasche Wein getrunken
in der Sauna gewesen
einen Brief geschrieben
gefallen   geschwommen
nach Hause gekommen

2.) Montagmorgen im Büro.

a) Was glauben Sie: Was haben die Leute am Wochenende gemacht?

2/12
❯
§ 30
§ 37

Besuch gehabt   Geburtstag gefeiert   zu Hause geblieben   Fußball gespielt   tanzen gegangen
im Garten gearbeitet   ein Tennisspiel gesehen   einen Ausflug gemacht   im Theater gewesen
einkaufen gegangen   eine Küche gekauft   das Auto gewaschen   für eine Prüfung gelernt

Perfekt

hat		ist	
gekocht	genommen		gekommen
gekauft	gesehen		geblieben
gearbeitet	geschrieben		gefallen
gehabt	geschlafen		gegangen
...	gewaschen		geschwommen
	getrunken		gewesen
	...		...

b) Hören Sie zu. Was haben die Leute wirklich gemacht?

c) Überlegen Sie: Was haben die Leute vielleicht außerdem gemacht?

Frau Bärlein	hat	...
Herr Kretschmar	ist	
Tina		
Herr Weiher		

3. Dialogübung.

● Krüger …

■ Hier ist Gerd. Grüß dich!
Du, Sybille, was hast du eigentlich Mittwochnachmittag gemacht? Wir waren doch verabredet.

● Mensch, tut mir Leid. Das habe ich total vergessen.
Da habe ich ferngesehen.

Montag-	Freitag-	-morgen
Dienstag-	Samstag-	-mittag
Mittwoch-	Sonntag-	-nachmittag
Donnerstag-		-abend

spazieren gehen   schlafen   Rad fahren

lesen   wegfahren   schwimmen gehen

Kopfschmerzen   tanzen gehen   lernen

Besuch haben

arbeiten   Sauna   einkaufen   fernsehen

Perfekt: **Trennbare Verben**

einkaufen – ein**ge**kauft
fernsehen – fern**ge**sehen

4. Hören Sie zu.

Wer hat das erlebt?
(Manfred = M, Peter = P)

a) *M* hat ein Mädchen kennen gelernt.
b) ☐ hat eine Prüfung gemacht.
c) ☐ hat Italienisch gelernt.
d) ☐ hat zwei Wochen im Krankenhaus gelegen.
f) ☐ hatte einen Autounfall.
h) ☐ ist umgezogen.
i) ☐ ist Vater geworden.
k) ☐ war krank.
l) ☐ will heiraten.

Wann war das? Im …

☐ Januar	☐ Mai	☐ September
☐ Februar	☐ Juni	☐ Oktober
☐ März	☐ Juli	☐ November
☐ April	☐ August	☐ Dezember

Die Verben **sein** und **haben**

Perfekt	**Präteritum**
ich bin gewesen	ich war
ich habe gehabt	ich hatte

5. Was haben Sie letztes Jahr erlebt? Was war für Sie 20… wichtig?

Letztes Jahr …   Im Januar …   Im Jahr 19… / 20…   Im …

> §28

6. Haben Sie schon gehört ...?

2/14-16

A ● Ist Frau Soltau nicht hier?
   ■ Nein, sie kommt heute nicht.
   ● Ist etwas passiert?
   ■ Ja, sie hatte einen Unfall.
   ● Einen Unfall? Was ist denn passiert?
   ■ Na ja, sie ist hingefallen. Ihr Bein tut weh.
   ● Ist es schlimm?
   ■ Nein, das nicht. Aber sie muss wohl
     ein paar Tage im Bett bleiben.

B ■ Hast du es schon gehört? Die Sache mit
     Frau Soltau?
   ▲ Nein, was denn?
   ■ Sie hatte einen Unfall. Sie ist die Treppe
     hinuntergefallen.
   ▲ Mein Gott! War es schlimm?
   ■ Ja, ihr Bein ist gebrochen. Sie muss zwei
     Wochen im Bett bleiben.

C ▲ Haben Sie es schon gehört?
   ▽ Nein! Was denn?
   ▲ Frau Soltau hatte einen Unfall.
   ▽ Was ist denn passiert?
   ▲ Das weiß ich nicht genau. Sie liegt im
     Krankenhaus. Man hat sie operiert.
   ▽ Das ist ja schrecklich!

Was ist **passiert?**
Man hat sie **operiert.**
Wer hat das **erzählt?**
Sie hat ein Kind **bekommen.**

❭
§ 30

Spielen Sie ähnliche Dialoge. Hier sind ein paar Möglichkeiten.

a) Frau Kuhn hat im Lotto gewonnen:
   (A) 30 000,–! Sie hat ein Auto gekauft.
   (B) 300 000,–! Sie hat ein Haus gekauft.
   (C) 800 000,–! Sie hat gekündigt und will eine Weltreise machen.

b) Frau Tönjes hat
   (A) einen Freund. Er kommt jeden Tag.
   (B) geheiratet. Sie wohnen zusammen in ihrer Wohnung.
   (C) ein Kind bekommen, aber ihr Mann ist ausgezogen.

c) Zwei Polizisten waren bei Herrn Janßen. Sie haben geklingelt.
   (A) Herr Janßen war nicht da. Die Polizisten sind wieder gegangen.
   (B) Die Polizisten sind eine halbe Stunde geblieben, dann gegangen.
   (C) Die Polizisten haben Herrn Janßen mitgenommen.

7. Kennen Sie das auch?

Habt ihr eure Hände gewaschen?
Habt ihr die Zähne geputzt?
Habt ihr eure Milch getrunken?
Habt ihr euer Brot gegessen?
Habt ihr eure Schularbeiten gemacht?
Habt ihr eure Zimmer aufgeräumt?

Was fragen die Kinder und der Vater?

> Keller aufräumen   Pullover waschen
>
> Licht in der Garage ausmachen
>
> Kuchen backen   Lehrerin anrufen
>
> Heizung anstellen   Bad putzen
>
> Gemüsesuppe kochen   Blumen gießen
>
> Schuhe putzen   Cola mitbringen
>
> Katze füttern
>
> Waschmaschine abstellen
>
> Schulhefte kaufen   Knopf annähen

8. Was kann die Frau antworten?

Nein,	das	habe ich noch nicht gemacht.
		mache ich nicht.
	dazu habe ich	keine Lust.
		keine Zeit.

Wasch deinen Pullover	doch selbst!	❯
Gieß deine Blumen		§ 34
...		

Mach das Licht doch selbst aus!
Näh den Knopf doch selbst an!
Stell die Waschmaschine selbst ab!

Du kannst	die Heizung ja selbst anstellen.
Ihr könnt	den Keller selbst aufräumen.
	die Katze selbst füttern.
	...

9. Ein Arbeitstag

a) Was hat Frau Winter heute gemacht?

a Die Kinder abgeholt und nach Hause gebracht

b In den Supermarkt gegangen, Jens mitgenommen

c Jens in den Kindergarten und Anna in die Schule gebracht

d Abendessen gekocht

e Karl zur Haltestelle gebracht und ins Büro gefahren

f Die Kinder ins Bett gebracht

g Das Frühstück gemacht

h Briefe beantwortet, telefoniert, Bestellungen bearbeitet

i Das Mittagessen gekocht

j Jens und Anna geweckt und angezogen

k Die Freundin von Anna nach Hause gebracht

l Das Zimmer von Anna aufgeräumt

§ 16a)
§ 46

b) Wann hat Frau Winter was gemacht?
   Ordnen Sie zuerst nach der Uhrzeit. Erzählen Sie dann.

Wohin? – Präposition + Akk.

    in den Kindergarten
    in die Schule
in das → **ins** Büro
nach Hause
zur Haltestelle

Um 7.00 Uhr hat sie …
Um 7.20 Uhr …
Um 7.45 Uhr …
Um 8.05 Uhr …
Von 8.30 bis 12. 00 Uhr …
Um 12.20 Uhr …

Um 12.45 Uhr …
Um 14.30 Uhr …
Um 16.15 Uhr …
Um 16.30 Uhr …
Um 18.00 Uhr …
Um 19.50 Uhr …

10. Frau Winter muss ins Krankenhaus

a) Hören Sie den Dialog. Wen muss Herr Winter …

(Anna = A, Jens = J, beide = b)

um 7 Uhr wecken?	um 12.20 Uhr abholen?
anziehen?	um 12.35 Uhr abholen?
in den Kindergarten bringen?	um 19.30 Uhr ins Bett bringen?
in die Schule bringen?	um 19.50 Uhr ins Bett bringen?

b) Frau Winter hat für ihren Mann zwei Zettel geschrieben.

Jens:
Um 7 Uhr wecken. Anziehen.
(Er kann das nicht allein)
7.40 Uhr in den Kindergarten
bringen.
12.30 Uhr wieder abholen.
Nachmittags in den Supermarkt
mitnehmen.
Dann spielen lassen.
Spätestens 19.30 Uhr ins Bett
bringen.

Anna:
Auch um 7 Uhr wecken.
Auch anziehen! (Braucht allein
eine halbe Stunde!)
7.50 Uhr in die Schule bringen.
12.20 Uhr wieder abholen.
Spätestens um 14.30 Uhr die
Hausaufgaben machen lassen.
Dienstag: Um 16 Uhr in die
Musikschule bringen.
Spätestens um 20 Uhr ins Bett
bringen.

Was muss Herr Winter machen?

Um sieben Uhr muss er Jens wecken.
Er muss ihn anziehen. Jens kann das nicht allein.
Um zwanzig vor acht muss er ihn …
Um …

Um sieben Uhr muss er auch Anna wecken.
Er muss sie auch anziehen. Sie braucht allein eine
halbe Stunde!
Um zehn vor acht muss er sie …
Um …

> § 11
> § 38

Personalpronomen im Akkusativ		**wen? was?**
er (Jens)	→	Herr Winter muss **ihn** wecken.
sie (Anna)	→	Herr Winter muss **sie** wecken.
es (das Zimmer)	→	Anna muss **es** aufräumen.
sie (die Bücher)	→	Anna muss **sie** aufräumen.

Junge (8 Jahre) auf Autobahnraststätte einfach vergessen!

Anzeigenannahme: Tel. 0 89 / 23 66 8

Am Samstagmorgen um 3.30 Uhr war der achtjährige Dirk W. mutterseelenallein auf einem Rastplatz an der Autobahn Darmstadt-Frankfurt. Seine Eltern waren versehentlich ohne ihn abgefahren.

11. Lesen Sie die drei Texte.

Nur eine Geschichte ist wirklich passiert.

1 Dirk ist mit seinen Eltern und seiner Schwester nachts um 12 Uhr von Stuttgart losgefahren. Er und seine Schwester waren müde und haben auf dem Rücksitz geschlafen. Auf einmal ist Dirk aufgewacht. Das Auto war geparkt und seine Eltern waren nicht da. Auf dem Parkplatz war eine Toilette. Dirk ist ausgestiegen und auf die Toilette gegangen. Dann ist er zurückgekommen und das Auto war weg.

2 Dirk ist mit seinem Vater nachts um 12 Uhr von Stuttgart losgefahren. Er hat auf dem Rücksitz gesessen und Musik gehört. Dann hat sein Vater auf dem Parkplatz angehalten und ist auf die Toilette gegangen. Es war dunkel, und Dirk hatte auf einmal Angst allein im Auto. Er ist ausgestiegen und hat seinen Vater gesucht. Aber er hat ihn nicht gefunden. Dann ist er zurückgekommen und das Auto war weg.

3 Dirk ist mit seinem Vater und seiner Schwester nachts um 12 Uhr von Stuttgart abgefahren. Zuerst haben die Kinder noch gespielt, aber dann sind sie auf dem Rücksitz eingeschlafen. Plötzlich ist Dirk aufgewacht. Es war still und sein Vater war nicht mehr im Auto. Auf dem Parkplatz war eine Toilette. Dort hat er seinen Vater gesucht. Aber der war nicht da. Dann ist er wiedergekommen und das Auto war weg.

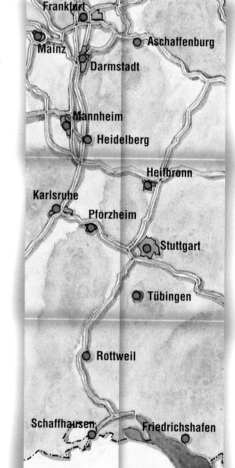

Hören Sie den Bericht von Dirk.
Welcher Text erzählt die Geschichte richtig?

▮ Text 1   ▮ Text 2   ▮ Text 3

12. Hören Sie den Bericht von Herrn Weber. Was erzählt er?

a)   Wir sind gegen   ▢ 2.00 Uhr auf einen Parkplatz gefahren.
                                                 ▢ 2.30 Uhr
                                                 ▢ 3.00 Uhr

b)   Dort   ▢ haben wir einen Kaffee getrunken.
                                                 ▢ sind wir ein bisschen spazieren gegangen.
                                                 ▢ sind wir auf die Toilette gegangen.

c)   Dann sind wir weitergefahren,   ▢ und meine Frau hat geschlafen.
                                                 ▢ und die Kinder haben Radio gehört.
                                               ▢ und wir haben miteinander gesprochen.

d)   Um 5.00 Uhr   ▢ haben wir die Suchmeldung im Radio gehört.
                                                 ▢ hat uns ein Polizeiauto angehalten.
                                               ▢ haben wir auf einmal gemerkt: Dirk ist nicht da!

e)   Dann   ▢ sind wir sofort zurückgefahren und haben Dirk gesucht.
                                                 ▢ haben wir Dirk im Polizeiauto gesehen.
                                               ▢ haben wir sofort mit der Polizei telefoniert und Dirk abgeholt.

13. Hören Sie noch einmal Dirk.

Die Eltern waren weg, das Auto war weg,
es war dunkel und Dirk war allein.
Was ist dann auf dem Parkplatz passiert?

haben	sagen	aufwachen
schlafen	sehen	anrufen
gehen	geben	warten
aussteigen	sein	fragen
kommen	mitnehmen	rufen

Es ___ kalt. Dirk ___ keine Jacke, denn seine Jacke ___ im Auto. Er ___ Angst. Der Parkplatz ___ ganz leer. Dirk ___ zuerst ___: „Hilfe! Hallo!" Dann ___ er eine Bank ___. Dort ___ er ___.
Später ___ dann ein Auto ___. Ein Mann ___ ___. Der Mann ___ Dirk ___: „Was machst du denn hier? Wo sind denn deine Eltern?" Dirk ___ gesagt: „Meine Eltern sind weg! Ich ___ im Auto ___. Dann ___ ich ___ und zur Toilette ___. Und dann ___ das Auto weg."
Der Mann ___ sofort die Polizei ___. Die Polizei ___ Dirk auf die Polizeistation ___. Dort ___ es warm. Die Polizisten ___ sehr nett. Sie ___ Dirk Tee und Kuchen ___. Ein Polizist ___ ___: „So, Dirk, jetzt kommt gleich deine Suchmeldung im Radio. Deine Eltern rufen bestimmt bald an. " Und so ___ es dann auch.

Wien, Donnerstag, den 23. Juni

Liebe Anita,

ich bin gerade drei Tage auf Geschäftsreise in Wien. Die Stadt ist - wie immer - wunderschön. Diesmal habe ich etwas Zeit. Gestern war ich im Stephansdom. Heute bin ich im Prater spazieren gegangen, und dann habe ich im Hotel Sacher Kaffee getrunken und drei (!) Stück Sachertorte gegessen.

Morgen fahre ich wieder nach Hause in meine neue Wohnung. (Hast du schon meine Adresse? Ahornstraße 52 - Telefon habe ich noch nicht bekommen.) Bis jetzt habe ich ja viel Pech gehabt in dieser Wohnung. Zuerst sind die Vormieter drei Wochen zu spät ausgezogen, und dann haben die Handwerker viele Fehler gemacht. Der Maler hat für die Türen die falsche Farbe genommen, der Tischler hat ein Loch in die Wand gebohrt und gleich die Elektroleitung kaputtgemacht, und die Teppichfirma hat einen Teppich mit Fehlern geliefert. Ich habe sofort reklamiert, aber bis jetzt hat es nicht geholfen ... Es hat wirklich viel Ärger gegeben. Aber mein Nachbar, Herr Driesen, ist sehr nett. Er hat die Lampen montiert. Die Waschmaschine habe ich selbst angeschlossen. In der Küche funktioniert jetzt alles.

Willst du nicht nächste Woche mal vorbeikommen?

Bis bald und herzliche Grüße
deine Marianne

14. Was passt zusammen?

1	Marianne	a)	fährt Freitag nach Hause.
2	Anita	b)	hat die Elektroleitung kaputtgemacht.
3	Die Vormieter	c)	hat die falsche Farbe genommen.
4	Der Maler	d)	hat die Lampen angeschlossen.
5	Der Tischler	e)	hat die Waschmaschine angeschlossen.
6	Die Teppichfirma	f)	hat einen Teppich gebracht, aber der hatte Fehler.
7	Der Nachbar	g)	hat geholfen.
		h)	hatte Probleme mit der Wohnung.
		i)	heißt Driesen.
		j)	ist eine Freundin von Marianne.
		k)	ist für ihre Firma nach Wien gefahren.
		l)	ist umgezogen.
		m)	sind zu lange in der Wohnung geblieben.
		n)	war im Prater.

Marianne Köchling war drei Tage in Wien.
Am Freitagabend kommt sie nach Hause.
An ihrer Wohnungstür findet sie einen Zettel.

*Liebe Frau Köchling,
bitte klingeln Sie
bei Driesen.
Viele Grüsse
Walter Driesen*

15. Was ist passiert?

a) Sehen Sie die Bilder an.
   Was glauben Sie: Was ist passiert?

b) Hören Sie zu und machen Sie <u>Notizen.</u>   *take notes*

c) Was ist wirklich passiert? Erzählen Sie.

2/21

der Waschmaschinenschlauch	den Boden wischen	in die Wohnung einsteigen
der Keller	die Polizei Wasser tropfen	
durch die Decke	das Fenster einschlagen ein Geräusch hören	falsch anschließen

Nur einer fragt

- Also, Herr Krause, was haben Sie gestern gemacht?
- Gestern, Herr Vorsitzender, habe ich nichts gemacht.
- Nun, irgendwas haben Sie doch sicher gemacht.
- Nein, Herr Vorsitzender, ganz bestimmt nicht.
- Einen Spaziergang, zum Beispiel. Haben Sie nicht wenigstens einen Spaziergang gemacht?
- Nein, Herr Vorsitzender, ich habe gestern keinen Spaziergang gemacht.
- Nun denken Sie mal ein bisschen nach, Herr Krause …
- Das tue ich ja, Herr Vorsitzender, ich denke schon die ganze Zeit nach.
- Aha, Sie denken schon die ganze Zeit nach. Wie lange denn schon?
- Ich weiß nicht … ich denke viel nach, immer wieder denke ich nach.
- Haben Sie vielleicht gestern auch nachgedacht?
- Ich glaube ja, Herr Vorsitzender.
- Na sehen sie! Sie haben gestern als doch etwas gemacht!
- Na ja, das heißt …
- Haben Sie gestern nachgedacht, ja oder nein?
- Ja.
- Na also!
- Ist das verboten?
- Herr Krause – hier stelle ich die Fragen!
- Entschuldigung.
- Sie können gehen!

BANK

BUCHHANDLUNG

REISEBÜRO

Hotel

BÄCKEREI

REINIGUNG

METZGEREI FUCHS

MARKT-APOTHEKE

Café   Ca

IN DER STADT

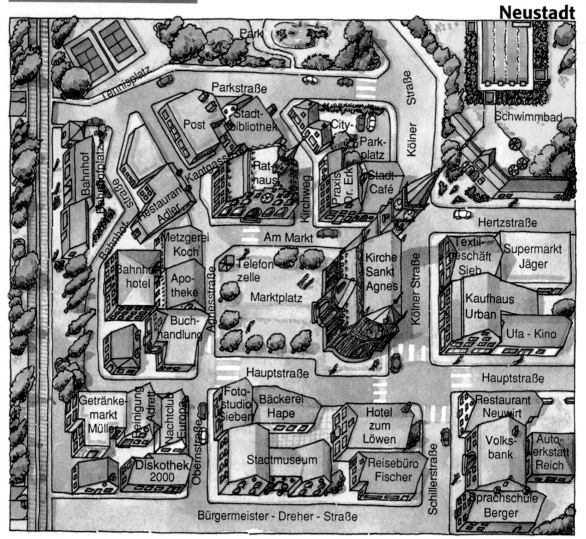

Neustadt

2/23

1. Wo sind die Leute gerade? Hören Sie.

› §16a

der
- im Getränkemarkt
- im Supermarkt
- im Stadtpark
- auf dem Bahnhof
- am Marktplatz

die
- in der Metzgerei
- in der Apotheke
- in der Buchhandlung
- in der Bäckerei
- in der Autowerkstatt
- in der Reinigung
- in der Stadtbibliothek
- in der Telefonzelle
- in der Diskothek
- auf der Post
- auf der Bank

das
- im Blumengeschäft
- im Textilgeschäft
- im Fotostudio
- im Schwimmbad
- im Kino
- im Café
- im Reisebüro
- im Hotel
- im Restaurant
- im Stadtmuseum
- auf dem Rathaus

	Wo?			
(der)	**im**	Getränkemarkt	**auf dem**	Bahnhof
(die)	**in der**	Metzgerei	**auf der**	Bank
(das)	**im**	Kino	**auf dem**	Rathaus

2. Wo kann man in Neustadt ...? Dialogübung.

● Wo kann man in Neustadt sein Auto waschen lassen?

▨ In der Autowerkstatt.

● Wo kann man ...?

▨ Im ...

Blumen, Getränke, Kleidung Fleisch, Wurst, Filme, Bücher, Briefmarken, Brot, Arzneimittel, Lebensmittel	kaufen

sein Auto reparieren seine Wäsche waschen ein Passbild machen seine Kleidung reinigen	lassen

Geld abheben (einzahlen, wechseln)

telefonieren   tanzen   Kaffee trinken

Fahrkarten kaufen   schwimmen

ein Buch leihen (lesen)   einen Film sehen

spazieren gehen   essen   eine Reise buchen

übernachten   einen Pass bekommen

❯ § 47

3. Wohin gehen die Leute? Hören Sie.

2/24

der

in den Getränkemarkt
in den Supermarkt
in den Stadtpark
in den ...
auf den Bahnhof

die

in die Metzgerei
in die Apotheke
in die Buchhandlung
in die ...
auf die Post
auf die Bank

das

ins Café
ins Textilgeschäft
ins Schwimmbad
ins ...
auf das Rathaus

❯ § 16a

a) *ins*
b) _____
c) _____
d) _____
e) _____

f) _____
g) _____
h) _____
i) _____

Wohin?		
(der)	**in den** Getränkemarkt	**auf den** Bahnhof
(die)	**in die** Metzgerei	**auf die** Bank
(das)	**ins** Kino	**auf das** Rathaus

4. Dialogübung.

● Wo kann man in Neustadt ein Passbild machen lassen?

▨ Gehen Sie in das Fotostudio Siebert.

● Wo ist das?

▨ | Am ...platz.
  | In der ...straße.

● Wo kann man ...?

▨ Gehen Sie ...

take care of / finish

5. Was möchte Herr Kern erledigen? Wohin geht er?

Herr Kern fährt zum Bahnhof.
Er möchte eine Bahnfahrkarte kaufen.

Er fährt …

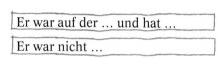

- Bahnfahrkarte kaufen
- Paket an Monika schicken
- Geld abheben
- Auto waschen lassen
- Passbild machen lassen
- Aspirin holen
- Mantel reinigen lassen
- Blumen für Oma kaufen
- Bücher zurückgeben
- 4 Koteletts
- 10 Brötchen

Wohin gehen fahren?			
(der Bahnhof)	**zum** Bahnhof	←	in / auf
(die Apotheke)	**zur** Apotheke	←	zu
(das Fotogeschäft)	**zum** Fotogeschäft		

6. Herr Kern kommt nach Hause.

2/25

❯

§ 17

Hören Sie das Gespräch.

a) Wo ist Herr Kern gewesen? Was hat er erledigt?

b) Wo ist Herr Kern nicht gewesen?

c) Was hat Herr Kern noch gemacht? Erzählen Sie.

> Er war auf der … und hat …

> Er war nicht …

7. Dialogübung

Sie wohnen noch nicht lange in Neustadt und müssen zehn Dinge erledigen.

Sie besprechen folgende Fragen:
Was müssen wir besorgen/erledigen? Wo gibt es das? Wo ist das? Wer erledigt was?

2/26

a) Hören Sie zuerst ein Beispiel.

b) Sie können folgende Sätze verwenden:

Was	brauchen wir?		Wir	brauchen …
	müssen wir	besorgen?		müssen …
		erledigen?		
Wo	gibt es das?			Im / In der …
	bekommt man das?			Auf dem / Auf der …
	ist das?			
	kann man das	machen lassen?		In der …-straße.
		kaufen?		Am …-platz.
		bekommen?		
Also, ich gehe	in den / in die / ins …		und	kaufe …
	auf den / auf die / auf das …			hole …
	zum / zur …			besorge …
				lasse …

8. Wo ist der …?

Die Hauptstraße immer geradeaus bis zur Buchhandlung.

Gehen Sie links in die Agnesstraße. *Akk*

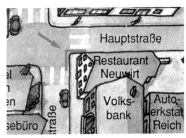

An der Ecke ist ein Restaurant. *Dat*

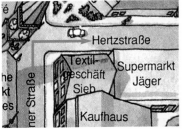

Gehen Sie rechts in die Hertzstraße. *Akk* *Dat*

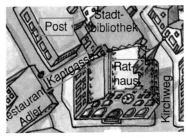

Die Kantgasse ist zwischen der Post und dem Rathaus. *Dat*

Die Bäckerei ist neben dem Fotostudio Siebert. *Dat*

- ● Wo ist das Restaurant Adler?
- ▨ Am Marktplatz, neben dem Stadt-Café.
- ● Und die Volksbank, wo ist die?
- ▨ In der Schillerstraße, zwischen dem Getränkemarkt und der Diskothek 2000.

> neben dem Supermarkt
>
> zwischen der Post und dem Reisebüro
>
> …

9. Wie komme ich zum Bahnhof?

a) Schlagen Sie den Stadtplan auf S. 94 auf und hören Sie den Dialog.

- ● Entschuldigen Sie bitte! Wie komme ich zum Bahnhof?
- ▨ Gehen Sie hier die Schillerstraße geradeaus bis zur Kirche. An der Kirche dann links in die Hauptstraße. Gehen Sie weiter geradeaus bis zur Agnesstraße. An der Ecke ist eine Buchhandlung. Dort dann rechts in die Agnesstraße bis zur Post. Da ist der Bahnhof.
- ● Also, ich gehe hier …

b) Hören Sie die Dialoge auf CD oder Kassette. Wiederholen Sie dann die Wegerklärungen.

Also, ich gehe hier …

2/27

2/28

Hermes
Busreisen
Berlin

Bernd Hermes, Inh.
Stadtrundfahrten in Berlin

Abfahrt täglich 9, 11, 14, 16 Uhr
am Breitscheidplatz

Erwachsene 7 €, Kinder 4,50 €

Das Brandenburger Tor am Pariser Platz. Hinter dem Tor die Straße „Unter den Linden".

Die Deutsche Staatsoper in der Straße „Unter den Linden".

Die Quadriga auf dem Brandenburger Tor. Hinter der Quadriga das Reichstagsgebäude.

Am Potsdamer Platz. Neben dem Hochhaus das Sony-Center (hinter der Kirche); hinter dem Sony-Center der Fernsehturm.

Die Reste der Mauer zwischen Ost- und West-Berlin. Bis 1989 hat sie Berlin in zwei Teile geschnitten.

Der Fernsehturm von Berlin. In der Kugel, hoch über der Stadt, ein Restaurant. Vor dem Turm das „Rote Rathaus".

10. Stadtrundfahrt in Berlin.

2/29

Hören Sie den Text und machen Sie Notizen.

a) Erzählen Sie. Wohin fährt der Bus? Was machen die Leute?
Zuerst fährt der Bus zum … Dort … Dann … Danach … Zum Schluss …

b) Ihre Freundin / Ihr Freund ist nicht mitgefahren. Beschreiben Sie die Fahrt.

- Erzähl mal! Wie war die Fahrt? Was habt ihr gesehen?
- Zuerst sind wir … Dort … Dann …

11. Der Berliner Bär ist das Wappentier von Berlin.

a) Wo steht er? Wo sitzt er?

a) *Er steht*
b) *Er*   auf die Mauer
c) Er steht an der Mauer
d) Er sitzt auf der Branden...

e)
f)
g)   hinter dem Rathaus

> § 15,
> 16b)
> § 44

der Reichstag, die Mauer, das Brandenburger Tor, die Quadriga, das Rathaus

b) Was macht der Bär?

• klettern	• etwas schreiben	• fliegen	gehen	• etwas legen	• etwas stellen	• fahren

Climb

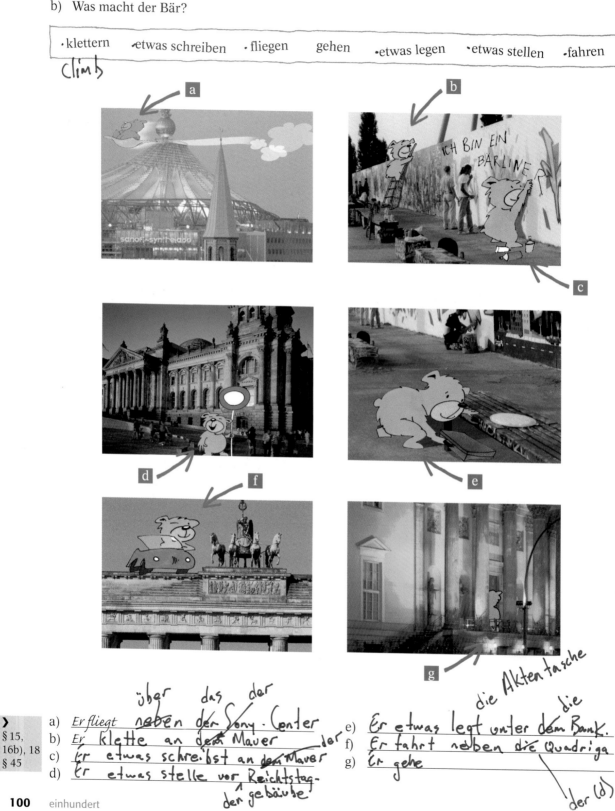

> §15,
> 16b), 18
> §45

über   das   der
a) *Er fliegt* neben der Sony Center
b) *Er* klette an dem Mauer
c) *Er* etwas schreibst an dem Mauer
d) *Er* etwas stelle vor Reichstag-
den gebäude

die Aktentasche
e) *Er* etwas legt unter dem Bank.
die
f) *Er* fahrt neben die Quadriga
g) *Er* gehe
der (d)

Alle Wege nach Berlin

Seit 1990 ist Berlin wieder Hauptstadt Deutschlands und ein Verkehrszentrum in der Mitte zwischen West- und Osteuropa.

Sie haben die Wahl:

))) Mit dem Flugzeug (((

Auf den drei Berliner Flughäfen Tegel, Tempelhof und Schönefeld starten und landen täglich mehr als 600 Flugzeuge. Es gibt Flugverbindungen in fast alle Länder der Welt. Besonders gut sind die Verbindungen nach Osteuropa.

))) Mit dem Bus (((

Sie können in einer Reisegruppe mit dem Bus nach Berlin fahren, es gibt aber auch Linienbusse nach Berlin. Sie fahren von vielen Städten in Deutschland zum Zentralen Busbahnhof am Funkturm in Berlin-Charlottenburg. Fahrpläne und Auskünfte bekommen Sie in den Reisezentren und Info-Points in den Bahnhöfen und in Reisebüros.

))) Mit dem Auto (((

Von Hamburg, Hannover, Leipzig, Dresden, Frankfurt a.d.Oder und von vielen andern Orten gibt es Autobahnen nach Berlin. Aber auf diesen Autobahnen gibt es auch viel Verkehr! Manchmal sind Sie auf der Bundesstraße schneller – oder noch besser: Sie reisen mit der Bahn.

))) Mit der Bahn (((

Sehr bequem reisen Sie mit der Bahn bis in die Innenstadt von Berlin. Fahrkarten bekommen Sie auf den Bahnhöfen am Schalter, aber auch per Telefon bei der zentralen Auskunft der Bahn oder im Internet über die Homepage der Bahn – und natürlich in vielen Reisebüros.

Flugroute	Autobahn	Bahn

12. Wie kommt man nach Berlin?

a) Wie kommt man mit dem Auto
   (A) von Saarbrücken nach Berlin?
   (B) von Köln nach Berlin?

   Man fährt von Saarbrücken zuerst nach ..., dann über ... nach ...   Von ... fährt man weiter nach ...

b) Wie kommt man mit der Bahn
   (A) von Freiburg nach Berlin?
   (B) von Düsseldorf nach Berlin?

   Man fährt zuerst nach ..., dann über ... nach ...   Von dort fährt man dann ... über ... nach ...

c) Wie kommt man mit dem Flugzeug
   (A) von Regensburg nach Berlin?
   (B) von Kassel nach Berlin?

   Von Regensburg nach Berlin kann man ...   Man muss zuerst mit ... nach ... fahren. Von dort kann ...

Berlin 30 Jahre später

Unter den Linden

Eine Schweizer Journalistin berichtet.

Als junge Frau war ich zwei Jahre lang Medizinstudentin an der Freien Universität in Berlin. Jetzt, dreißig Jahre später, komme ich wieder in diese Stadt zurück. Nicht als Ärztin, sondern als Journalistin.

In dreißig Jahren ist viel passiert. Deutschland ist seit 1990 nicht mehr in zwei Staaten geteilt, zwischen West- und Ost-Berlin gibt es keine Mauer mehr. Und Berlin ist jetzt wieder die Hauptstadt Deutschlands.

Ich fahre mit dem Bus zum Platz der Republik. Das Reichstagsgebäude kenne ich noch gut, aber die große Glaskuppel sehe ich zum ersten Mal. Hier im Reichstag arbeitet jetzt das deutsche Parlament, der Bundestag. Nicht weit entfernt stehen die neuen Regierungsgebäude mit dem Bundeskanzleramt.

Reichstagsgebäude

Am Brandenburger Tor war früher [*earlier*] die Mauer zwischen Ost- und Westberlin; heute kann ich durch das Tor gehen und bin dann auf der Straße „Unter den Linden". In dieser Straße findet man berühmte Gebäude des alten Berlin: die Humboldt-Universität, die Deutsche Staatsbibliothek, die Deutsche Staatsoper, das Museum für Deutsche Geschichte und viele andere. Die meisten Gebäude hier sehen noch [*LOOK LIKE*] fast so aus wie damals [*then*].

Ich gehe durch die Friedrichstraße und die Leipziger Straße zum Potsdamer Platz. Dieser Platz war nach dem Krieg völlig zerstört. Jetzt ist dort alles ganz neu, groß und modern: Die Daimler-City und das Sony Center. In den Cafés, vor den Kinos und in den Einkaufspassagen rund um den neuen Marlene-Dietrich-Platz sieht man Jugendliche neben Rentnern, Deutsche neben Ausländern, Künstler neben Bürgern und Geschäftsleuten.

Hausaufgabe
treffen - to hit

In einem Café treffe ich einen Kollegen des deutschen Nachrichtensenders n-tv. Er hat früher in Ost-Berlin gelebt. Er sagt: „Klar, wir haben jetzt unsere Freiheit, können frei reisen und unsere Meinung sagen, und die Geschäfte sind voll mit Waren. Und das ist auch gut so. Aber nicht alle können die Reisen und die Waren bezahlen. Viele Leute sind arbeitslos oder verdienen zu wenig. Das bringt soziale Probleme und Konflikte. Hier am Potsdamer Platz ist die Atmosphäre optimistisch, aber das ist nicht das ganze Bild."

Potsdamer Platz

Später treffe ich einen Studenten. Auch er sieht die Probleme: „Wir in Berlin sind eigentlich sehr tolerant: Jeder kann machen, was er will. Aber es gibt natürlich verschiedene Gruppen, und die haben alle verschiedene Interessen. Und immer mehr Menschen kommen in die Stadt, es gibt bald keinen Platz mehr." Eine Frau am Nebentisch hat uns zugehört. Sie sagt: „Nein, das stimmt doch nicht. Wohnungen gibt es hier genug. Aber die Kriminalität steigt. Hier, gerade heute steht es wieder in der Zeitung."

Ich denke an früher, an mein Studium in Berlin. Manches sieht noch so aus wie damals, aber trotzdem, die Atmosphäre ist offener geworden. Jetzt wohnen auch die Berliner im westlichen Teil der Stadt nicht mehr eingeschlossen in einem fremden Land, wie auf einer Insel. Sie können Ausflüge in die schöne Umgebung Berlins machen. Und das tun sie auch: Jedes Wochenende fahren Tausende hinaus ins Brandenburger Land und an die märkischen Seen.

Müggelsee

ADJ. MARK
Hausaufgabe — *LAKE*
f. ocean

13. Was ist wahr? Was ist falsch?

	wahr	falsch
a) Die Journalistin hat früher in Berlin studiert.	✓	
b) Die Journalistin hat 30 Jahre lang als Ärztin gearbeitet.		✓
c) Das Reichstagsgebäude sieht nicht mehr so aus wie vor 30 Jahren.	✗	✓
d) Es gibt am Brandenburger Tor keine Mauer mehr.	✓	
e) Die Humboldt-Universität ist am Alexanderplatz.		✓
f) Die Deutsche Staatsoper ist in der Straße „Unter den Linden".	✓	
g) Die Gebäude am Potsdamer Platz sind alle neu.	✓	
h) Die Leute im Osten Berlins sind zufrieden, aber sie dürfen nicht reisen.		✓
i) Heute haben alle Menschen in Berlin genug Geld.		✓
j) In Berlin ist man frei und kann sein eigenes Leben leben.	✓	
k) Viele Menschen ziehen nach Berlin. Deshalb fehlen Wohnungen.	✓	
l) Am Wochenende bleiben die meisten Berliner am liebsten in der Stadt.	✓	

2/30

Hoffnungsvolle Auskunft

- zuerst rechts
- dann links
- dann wieder rechts
- dann zweihundert Meter geradeaus
- dann bei der Ampel scharf rechts
- dann bis zur zweiten Kreuzung geradeaus
- dann über den Platz weg und dann links
- dann um das Hochhaus herum und bei der
  Tankstelle links halten
- dann fragen Sie noch mal,
  und wenn man Ihnen sagt:
- gehen sie zuerst rechts
- dann links
- dann wieder rechts
- dann zweihundert Meter geradeaus
- dann bei der Ampel scharf rechts
- dann bis zur zweiten Kreuzung geradeaus
- dann über den Platz weg und dann links
- dann in einem Bogen um das Hochhaus
  herum und bei der Tankstelle links halten ...

... dann verlieren Sie bitte nicht
die Hoffnung ...

Tasche

Kugelschreiber

Ring

Parfüm

Bild

Vase

Briefpapier

GESCHENKE

Buch

Halskette

Blumen

Pfeife

Wecker

Gläser

Hausaufgabe

1. Wünsche, Wünsche

Was möchten Sie gern haben? Was brauchen Sie?

Ich	trinke viel Kaffee.	Deshalb möchte ich eine Kaffeemaschine haben.

(viel Musik hören)
(rauchen)
(gern fotografieren)
(viel schreiben)
(oft reisen)
(gern Ski fahren)
(nicht gern Auto fahren)
(gern Tennis spielen)
(Haustiere mögen)
(gern kochen)
(gern Fernsehfilme sehen)
(gern Gäste einladen)
(nicht gern spülen)
(Spanisch lernen)
(immer zu spät aufstehen)
(Auto selber reparieren)
(Campingurlaub machen)
(viele Bücher haben)
(gern Schmuck tragen)
(nach / in die ... fahren)

das Briefpapier

die Katze

die Mikrowelle

die Kamera

die Weingläser

das Bücherregal

das Fahrrad

der Kugelschreiber

die Skibrille

die Zigarette

der Film

der Geschirrspüler

der Koffer

der Wecker *alarm clock*

der DVD-Player

die Halskette

das Wörterbuch

die CD

das Parfüm

das Feuerzeug

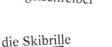
die Pfeife

der Hund

der Reiseführer

der Computer

das Zel

die Kaffeemaschine

die Tennisbälle

das Kochbuch

das Werkzeug

der Ring

der Schlafsack

der Discman

2. Was passt zusammen?

Herr Mahlein hat Geburtstag.
Frau Mahlein schenkt ihm einen DVD-Player.

b **1.** Jochen liebt Lisa.
a **2.** Elmar (13) ist nicht gut in Englisch.
e **3.** Yvonne lernt Deutsch.
d **4.** Astrid (5) möchte Rad fahren lernen.
c **5.** Carola (13) und Hans (11) möchten ein Handy kaufen.

a) Der Verkäufer zeigt <u>den Kindern</u> ein Handy.
Dann empfiehlt er <u>ihnen</u> ein Kartenhandy.

b) Sie stellt <u>dem Lehrer</u> eine Frage.
Er erklärt <u>ihr</u> den Dativ.

c) Der Vater will <u>dem Jungen</u> helfen.
Deshalb kauft er <u>ihm</u> eine Sprachkassette.

d) Er kauft <u>der Freundin</u> eine Halskette.
Er schenkt <u>ihr</u> die Kette zum Geburtstag.

e) Die Mutter kauft <u>dem Kind</u> ein Fahrrad.
Sie will <u>ihm</u> das Rad schenken.

Was passt?

Bild Satz Sätze

A	2	c
B	1	d
C	5	a
D	4	e
E	3	b

> § 3, 11
> § 38, 42,
> § 43

Nom.		Dativ	Akkusativ
Er Sie	zeigt	**dem** Jungen **ihm**	den DVD-Player.
(Es)		**der** Freundin **ihr**	die Kassette.
		dem Kind **ihm**	das Handy.
		den Kindern **ihnen**	die Halskette.

3. Diese Personen haben Geburtstag. Was kann man ihnen schenken?

Gina	gern Schmuck tragen	Gina trägt gern Schmuck. Man kann ihr einen Ring schenken.
Peter	rauchen	Peter …
Frau Kurz	Blumen mögen	
Yussef und Elena	nach Polen fahren	
Luisa	gern Campingurlaub machen	
Jochen	Tennis spielen	*Jochen spielt gen Tennis.*
Herr und Frau Manz	gern fotografieren	
Petra	nicht gern Auto fahren	
Bernd	gern kochen	

2/31-34

4. Hören Sie die Dialoge.

a) Hören Sie den Dialog A.
Schreiben Sie ihn dann zu Ende.

● Schau mal, morgen ist die Party bei
Hilde und Georg. Sie haben uns eingeladen.
■ Ach ja, stimmt.
● Was bringen wir ihnen denn mit?
Weißt du nicht etwas?
■ Wir können …

b) Hören Sie die Dialoge B, C und D. Wo sind die Leute eingeladen?
Was schenken sie? Warum? Was schenken sie nicht? Warum nicht?

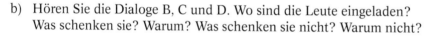

Sie schenken	ihm	…, denn	er	…	Sie schenken	ihm	keinen	…, denn das …
	ihr		sie			ihr	keine	
	ihnen					ihnen	kein	

c) Beraten Sie: Was kann man diesen Leuten schenken? Warum?

Doris Lindemann; wird 28;
macht Sonntag eine
Geburtstagsparty;
verheiratet, zwei Kinder;
Hausfrau; liest gern, geht
gern ins Theater, lädt gern
Gäste ein.

Ewald Berger; 45; feiert
sein Dienstjubiläum;
geschieden, Ingenieur;
raucht; kocht gern; spielt
Fußball; repariert Autos;
seine Kaffeemaschine ist
kaputt.

Daniela (26) und Uwe (28)
Reiter; geben eine Silvester-
party; wollen in die USA
fliegen; spielen Tennis,
machen gern Camping;
stehen immer zu spät auf;
trinken gern Wein.

Liebe Ulla,

ich werde dreißig. Das möchte ich gern mit dir und meinen anderen Freunden
feiern. Die Party ist am Freitag, 5. 2., um 20.00 Uhr. Ich lade dich herzlich ein.
Hast du Zeit? Bitte antworte mir bis Dienstag oder ruf mich an.

Herzliche Grüße
dein Bernd

5. Ergänzen Sie die Personalpronomen.

a) Liebe Sonja, lieber Dirk,
   Ich habe meine Prüfung bestanden. Das möchte ich gern mit euch und meinen anderen
   Freunden feiern. Die Party ist am Samstag, 4. 5., um 20.00 Uhr. Ich lade euch herzlich ein.
   Habt ihr Zeit? Bitte antwortet mir bis Donnerstag oder ruft mich an.
   Herzliche Grüße, eure Bettina

> § 11

b) Sehr geehrter Herr Gohlke,
   Wir sind 20 Jahre verheiratet. Das möchten wir gern mit ihnen und Ihrer Frau und unse-
   ren anderen Bekannten und Freunden feiern. Die Feier ist am Montag, 16. 6., um 19.00 Uhr.
   Haben Sie da Zeit? Bitte antworten Sie uns bis Mittwoch oder rufen Sie uns an.
   Herzliche Grüße,
   Ihre Christa und Wolfgang Halster

Personalpronomen		mit + Dativ	
Nom.		Dativ	Akkusativ
ich	Sie antwortet	mir.	Eva ruft mich an.
du		dir	dich
wir		uns	uns
ihr		euch	euch
Sie		Ihnen	Sie

6. Schreiben Sie jetzt selbst einen Einladungsbrief.

	Wen einladen?	Warum?	Wann?
a)	Zwei Freunde von Ihnen	Führerschein gemacht	Samstag um 19 Uhr
b)	eine Arbeitskollegin	aus Kanada zurückgekommen (nach fünf Jahren)	Donnerstag um 20 Uhr
c)	…	…	…

Der Kunde ist König

Wir machen **Möbel** nach **Ihren Wünschen**

Der Stuhl gefällt mir ganz gut. Er ist nur zu klein. Ich möchte ihn gern größer haben.

Kein Problem! Kommen Sie morgen wieder.

Sehr schön! So ist er groß genug, aber leider zu schmal. Ich möchte ihn gern breiter haben!

Na gut! Kommen Sie morgen wieder.

Ja, nicht schlecht. So ist er breit genug. Aber die Rückenlehne ist zu kurz und zu dick. Ich möchte sie gern länger und dünner haben.

Bitte schön. Kommen Sie morgen wieder.

Wunderbar! Jetzt ist die Lehne lang genug und nicht mehr zu dick. So gefällt er mir! Was kostet er denn?

249,– €.

Warum laufen Sie so langsam? Können Sie nicht schneller laufen?

Hilfe! Hilfe!

Wie bitte? So teuer? Können Sie ihn nicht billiger verkaufen?

---

7. Schreiben Sie jetzt selbst einen Text für einen Comic.

❯ §21

	a) Tisch	b) Bücherregal	c) Schrank
Bild 1	niedrig – hoch	groß – klein	klein – hoch
Bild 2	schmal – breit	das Holz: hell – dunkel	breit – schmal
Bild 3	die Platte: dünn – dick	die Bretter: dünn – dick	das Holz: dunkel – hell

a – ä	lang – länger	a – a	schmal – schmaler
			langsam – langsamer
o – ö	hoch – höher		
	groß – größer		
u – ü	kurz – kürzer	u – u	dunkel – dunkler
	teuer – teurer		gut – besser

8. Vergleichen Sie die Tische.

	Komparativ	Superlativ
billig	billiger	am billigsten
groß	größer	am größten
leicht	leichter	am leichtesten
breit	breiter	am breitesten
gut	besser	am besten

Tisch B ist breiter als Tisch A. Tisch C ist am …
Tisch A ist am billigsten. Tisch B ist … als …

9. Welchen Computer können Sie mir empfehlen?

§ 21

● Welchen Computer können
   Sie mir empfehlen?
■ Den für 395 Euro.
● Und warum?
■ Der ist am schnellsten.

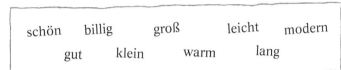

schön   billig   groß   leicht   modern
gut   klein   warm   lang

§ 12

10. Ich möchte einen Kugelschreiber.

● Guten Tag! Ich möchte einen Kugelschreiber.
   Können Sie mir bitte welche zeigen?
■ Ja gern. Gefällt Ihnen der hier?
   Er kostet 4 Euro 90.
● Nicht schlecht. – Haben Sie
   noch welche?
■ Ja, den hier. Der ist billiger.
   Er kostet 2 Euro 50.
● Der gefällt mir besser, den nehme ich.

Nom.	Akkusativ
Der Kugelschreiber hier,	**den** nehme ich.
	Packen Sie **ihn** bitte ein.
Die Taschenlampe hier,	**die** nehme ich.
	Packen Sie **sie** bitte ein.
Das Feuerzeug hier,	**das** nehme ich.
	Packen Sie **es** bitte ein.

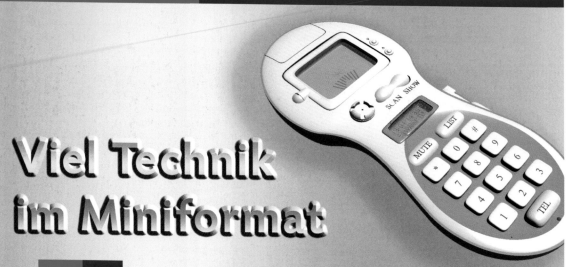

Viel Technik im Miniformat

Das **VIDEO Phone** ist Handy, Digital-Video-kamera und Scanner in einem Gerät. Zusammen mit dem Speichermodul SuperShelve108 haben Sie eine Dokumentations- und Kommunikationszen-trale im Miniformat für unterwegs und zu Hause.

Das kleine Ding fürs Geschäft

Mit dem **VIDEO Phone** sagen Sie ganz einfach zu Ihrem Kunden: „Ja, dann schauen wir mal!" Und schon sieht er Ihr Angebot auf dem 3,4"-LCD-Bildschirm, perfekt präsentiert in Bild und Ton. Dokumente scannen Sie mit der eingebauten Kamera und schicken sie per Modem als Text oder Bild auf Ihren Arbeitsplatz-Computer.

Das kleine Ding für die Reise

Sie sind abends im Hotel und möchten wissen, was los ist. Kein Problem für Sie: Mit dem **VIDEO Phone** ins Internet, und schon bekommen Sie Ihre Informationen, aktuell in Bild und Ton. Dateien herunterladen? Kein Problem – SuperShelve108 bietet 10 Gigabyte Speicherplatz.

Das kleine Ding für die Familie

Sie fragen Ihre Frau und Ihre Kinder: „Wollt ihr euch mal selbst sehen?" Na klar wollen sie. Die Zeit der langweiligen Dia-Vor-träge ist vorbei: Die Videokamera in Ihrem **VIDEO Phone** hält die Erinnerungen fest und bringt sie auf Ihren Fernseher, lebendig in Bild und Ton.

VIDEO Phone
High-Tech durch und durch.
Von **StrobeLab Digital.**

11. Lesen Sie die Anzeige.

a) Welches Foto und welcher Abschnitt im Text gehören zusammen?

b) Was ist richtig? Was ist falsch?

	richtig	falsch
A Mit dem Video Phone kann man filmen.		
B Das Video Phone ist Telefon und Videokamera zusammen.		
C Mit dem Video Phone kann man Papierfotos herstellen.		
D Das Video Phone zeigt nur Bilder.		

12. Auf der Fotomesse.

2/37

a) Hören Sie das Gespräch.

b) Beschreiben Sie das Video Phone.

Was kann man mit dem Video Phone machen?   Warum ist das Video Phone praktisch?
Wer kann das Video Phone gut gebrauchen?   Wie funktioniert das Video Phone?

den Kindern Filme zeigen   im Urlaub   Batterie   Strom aus der Steckdose   auf der Reise

zu Hause an den Fernseher anschließen   Akku   leicht   zu Hause   Internet   filmen   herunterladen   klein   Datei

den Kunden Produkte zeigen   in jede Handtasche passen   Filme aufnehmen und sehen

Jetzt bin ich viel glücklicher!

Das war Rüdiger Maaß vor drei Jahren. Da hatte er noch seine Bäckerei mit Café in Hamburg. Er hatte seine Arbeit, er hatte viel Geld, er hatte eine attraktive Frau, eine Stadtwohnung mit Blick auf die Binnenalster und einen teuren Sportwagen.
Und heute? Heute lebt er in einem Dorf in Ostfriesland. Er hat nur wenig Geld, den Sportwagen hat er verkauft, er lebt allein. Was ist passiert? Unsere Mitarbeiterin Paula Diebel hat mit ihm gesprochen.

Paula Diebel: Herr Maaß, Sie waren in Hamburg sehr erfolgreich. Sie haben fantastisch verdient, Ihr Café war bekannt und immer gut besucht, auch in Ihrer Bäckerei waren immer Kunden. Warum sind Sie jetzt hier?

Rüdiger Maaß: Es war eigentlich ein Zufall. Ich <u>habe</u> das Bauernhaus hier ge<u>erbt</u>, von einer Tante. Ich habe einen Brief vom Notar bekommen, und in dem Moment habe ich gewusst: Das Leben in der Stadt ist nichts für mich. Die Bäckerei und das Café, die Arbeit, der Stress jeden Tag – das alles war ganz falsch.

P.D.: Und bevor Sie das Haus geerbt haben – waren Sie da noch zufrieden?

Rüdiger Maaß: Ich habe eigentlich nie über mein Leben nachgedacht. Ich habe immer gedacht, es muss so sein. Morgens um vier hat der Wecker geklingelt, da bin ich aufgestanden, jeden Tag, auch Samstag und Sonntag. Feierabend war erst um 19 Uhr, und meine Arbeitswoche hatte sieben Tage. Ich hatte eigentlich überhaupt keine Freizeit.

P.D.: Und was hat Ihre Frau dazu gesagt?

Rüdiger Maaß: Ihr hat das überhaupt nicht gefallen. Sie hat immer wieder zu mir gesagt: „Irgendwann reicht es mir, dann gehe ich weg." Ich habe immer gedacht, sie sagt das nur so, und dann war sie plötzlich wirklich weg.

P.D.: Und was haben Sie da gemacht?

Rüdiger Maaß: Nicht viel. Wir haben noch ein paar Mal telefoniert. Dann haben auch meine Probleme mit der Gesundheit angefangen. Magenschmerzen, Kopfschmerzen, Schlafstörungen. Ich habe immer mehr Medikamente genommen. Zum Schluss bin ich nur noch mit Schlafmitteln eingeschlafen.

P.D.: Und dieses Haus hier hat dann alles verändert?

Rüdiger Maaß: Ja. Verrückt, nicht? Aber ich habe sofort gewusst: „Das ist es! Das ist meine Chance!" Die Bäckerei und das Café habe ich einfach verkauft. Es geht mir jetzt sehr viel besser, ich bin zufriedener und gesünder. Die Luft hier ist viel sauberer als in Hamburg.

P.D.: Und das Geld reicht Ihnen?

Rüdiger Maaß: Ja, es reicht. Ich lebe hier sehr billig. Ich brauche fast nichts, nur manchmal ein Buch oder eine CD. Ich habe nicht einmal ein Telefon im Haus. Und die Garage ist leer, ich fahre nur noch mit dem Fahrrad. „Schnell, schneller, am schnellsten" – das ist vorbei. Mein Motto heute heißt: „Nur kein Stress!"

P.D.: Was haben Ihre Freunde gesagt zu Ihrem Umzug aufs Land?

Rüdiger Maaß: Na ja, die meisten können das nicht verstehen. „Bäcker-Bauer" nennen sie mich. Aber das ist mir egal. Ich bin übrigens kein Bauer. Meine Tante hatte schon lange keine Kühe mehr, nur noch ein paar Hühner und einen Hund, und die habe ich behalten. Zwei Schafe habe ich auch und ein Pferd; das mag ich am liebsten.

P.D.: Ist Ihnen nie langweilig, so allein hier?

Rüdiger Maaß: Nein, Langeweile kenne ich nicht. Mit dem Garten und den Tieren habe ich von März bis Oktober immer eine Beschäftigung. Und ich habe Freunde hier. Allein war ich früher, in Hamburg – hier nicht!

13. Wie hat Rüdiger Maaß früher gelebt?

> §21

Heute
- hat er ein Bauernhaus.
- gefällt ihm sein Leben besser.
- kann er länger schlafen.
- muss er nicht mehr arbeiten.
- ist er gesünder.
- nimmt er keine Medikamente mehr.
- ist sein Motto: „Nur kein Stress."

Früher
- hatte er eine Bäckerei.
- hat sein Leben ihm ...
- hat der Wecker ...
- hatte er ...
- hat er ...
- hat er ...
- war sein ...

	Komparativ	Superlativ
gern	lieber	am liebsten
gut	besser	am besten
viel	mehr	am meisten

2/38

14. Was sagen die Leute?

Hören Sie zu und ergänzen Sie.
Was ist für die Leute am wichtigsten?

A: „Ich bin am liebsten zu Hause vor meinem _____ ."
B: „Mit meinem _____ kann ich am besten spielen."
C: „Das _____ ist für mich am wichtigsten."
D: „Ohne meine _____ kann ich nicht leben."
E: „Am wichtigsten ist für mich die _____ ."
F: „Mein _____ ist mir am wichtigsten."

15. Und Sie? Was ist für Sie wichtig?

... ist mir	sehr wichtig am wichtigsten nicht wichtig	... finde ich	sehr wichtig unwichtig völlig überflüssig
... brauche ich	unbedingt jeden Tag nicht nie	ohne ... kann ich nicht	leben arbeiten einschlafen ...

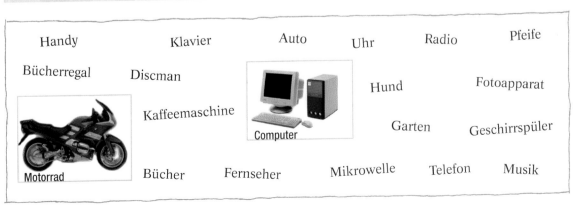

Handy   Klavier   Auto   Uhr   Radio   Pfeife

Bücherregal   Discman   Hund   Fotoapparat

Kaffeemaschine   Computer   Garten   Geschirrspüler

Motorrad   Bücher   Fernseher   Mikrowelle   Telefon   Musik

Der große Mediovideoaudiotelemax

2/39

Der große Mediovideoaudiotelemax,
meine Damen und Herren,
ist technisch perfekt
und kann einfach alles.
Er kann rechnen,
Sie selber
brauchen also nicht mehr rechnen.
Er kann hören,
Sie selber
brauchen also nicht mehr hören.
Er kann sehen,
Sie selber
brauchen also nicht mehr sehen.
Er kann sprechen,
Sie selber
brauchen also nicht mehr sprechen.
Er kann sogar denken,
Sie selber
brauchen also nicht mal mehr denken.
Der große Mediovideoaudiotelemax,
meine Damen und Herren,
ist einfach vollkommen.
Verlassen Sie sich
auf den großen Mediovideoaudiotelemax,
meine Damen und Herren,
und finden Sie endlich Zeit
für
sich selber.

DEUTSCHE SPRACHE

„Deutschland" von einem japanischen Schüler aus Toyohashi

UND DEUTSCHE KULTUR

1. Deutschland, Österreich, die Schweiz: Was ist das für Sie?

Thyssen   Austrian Airlines
Audi   Bosch   Dr. Oetker
BASF   Hoechst   Porsche
Opel Boss   Puma   Nestlé
Ritter Sport   Krupp   …

Heinrich Böll
Max Frisch
Gotthold Ephraim Lessing
Gottfried Keller   …

Richard Wagner
Johann Strauß
Georg Philipp Telemann
…

Rübezahl
Wilhelm Tell
…

Gottlieb Daimler
Sigmund Freud
…

Karl Marx
…   Martin Luther

Franz Beckenbauer
Steffi Graf
Michael Schumacher   …

Marlene Dietrich
Oskar Werner
…   Ursula Andress

Salzburg   Leipzig   Basel
Heidelberg   Essen
Hamburg   …   Köln

Gerhard Schröder
Wolfgang Schüssel
…   Konrad Adenauer

Friedensreich Hundertwasser
Hans Holbein
…   Ferdinand Hodler

Frankfurter Würste
Wiener Schnitzel   Fondue
Müller-Thurgau
Ovomaltine
…   Salzburger Nockerln

2. Was kennen Sie außerdem? Berichten Sie.

Sie können auch ein Fragespiel machen: „Was ist …?" / „Wer war …?" / „Wie heißt …?" / …

… ist	die Hauptstadt von eine Stadt in eine Firma in eine Fluglinie in ein Gericht aus …	Deutschland Österreich der Schweiz

… stellt	Lebensmittel Autos Stahlprodukte Chemieprodukte Elektrogeräte Motorräder Sportkleidung …	her

… ist … war	Schriftsteller / Maler Komponist / Politiker Sportlerin / Schauspieler Wissenschaftler … Deutsche / Deutscher Österreicherin / Österreicher Schweizerin / Schweizer

… hat	… geschrieben … komponiert … gemalt … gespielt … erfunden … entdeckt

3. Personen-Quiz: Große Namen

a) Hören Sie zu. Welche Daten gehören zu Person Nr. 1?

2/40-41

Person Nr. 1

Person Nr. 2

28. 8. 1749:	in Frankfurt am Main geboren
27. 1. 1756:	in Salzburg geboren
	Sein Vater war Beamter.
	Sein Vater war Komponist.
1768:	Studium in Leipzig
1769–1771:	Reise nach Italien
1770–1771:	Studium in Straßburg
1771–1779:	Salzburg
1776:	endgültig in Weimar
1779–1780:	Reise in die Schweiz
1781:	endgültig in Wien
1782:	Heirat
1790:	Reise nach Italien
5. 12. 1791:	in Wien gestorben
1807:	Heirat
1815:	Minister
22. 3. 1832:	in Weimar gestorben
	Werke: z. B. Die Zauberflöte, Krönungsmesse, Jupiter-Sinfonie
	Werke: z. B. Werther, Faust, Wilhelm Meister

b) Wie heißt die Person Nr. 1?

c) Die anderen Daten gehören zu Person Nr. 2.
   Wie heißt diese Person? (Lösungen Seite 147)

d) Erzählen Sie:
   „Am … ist … in … geboren. Sein Vater war …
   Im Jahr … hat … eine Reise … gemacht. …"

4. Machen Sie selbst ein Quiz.

Wählen Sie eine berühmte Person. Suchen Sie Informationen
im Internet oder im Lexikon.

Fangen Sie z. B. so an:

„Meine Person ist eine Frau. Sie ist am … in … geboren."
Machen Sie nach jeder Information eine Pause; da können die
anderen raten.

Geben Sie höchstens acht Informationen.

Das Datum

der **erste** Januar – am **ersten** Januar
der **zweite** Januar – am **zweiten** Januar

Die Jahreszahlen

1749: siebzehnhundertneunundvierzig
1996: neunzehnhundertsechsundneunzig
2003: zweitausenddunddrei

Die deutschsprachigen Länder

> § 10

Deutsch spricht man in Deutschland, Österreich, in einem Teil der Schweiz, im Fürstentum Liechtenstein und – neben Französisch und Luxemburgisch – im Großherzogtum Luxemburg. Aber auch in anderen Ländern gibt es Bevölkerungsgruppen, die Deutsch sprechen, in Europa zum Beispiel in Frankreich, Belgien, Dänemark, Italien, Polen und in der GUS.

Deutschland, Österreich und die Schweiz sind föderative Staaten: Die „Schweizerische Eidgenossenschaft" („Confœderatio Helvetica" – daher das Autokennzeichen CH) besteht aus 26 Kantonen, die Republik Österreich („Austria", Autokennzeichen A) aus 9 Bundesländern und die Bundesrepublik Deutschland aus 16 Bundesländern. Ein Kuriosum: Die Städte Bremen, Hamburg, Berlin und Wien sind auch Bundesländer.

> § 4

In der Schweiz gibt es vier offizielle Sprachen. Französisch spricht man im Westen des Landes, Italienisch vor allem im Tessin, Rätoromanisch in einem Teil des Kantons Graubünden und Deutsch im großen Rest der Schweiz. Die offizielle Sprache Deutschlands und Österreichs ist Deutsch, aber es gibt auch Sprachen von Minderheiten: Friesisch an der deutschen Nordseeküste, Dänisch in Schleswig-Holstein, Sorbisch in Sachsen und, im Süden und Osten Österreichs, Slowenisch (in Kärnten) und Kroatisch und Ungarisch (im Burgenland).

Natürlich ist die deutsche Sprache nicht überall gleich: Im Norden klingt sie anders als im Süden, im Osten sprechen die Menschen mit einem anderen Akzent als im Westen. In vielen Gebieten ist auch der Dialekt noch sehr lebendig. Aber Hochdeutsch versteht man überall.

Der Genitiv	
der Kanton	in einem Teil **des** Kanton**s**
die Schweiz	im großen Rest **der** Schweiz
das Land	im Westen **des** Land**es**

5. Berichten Sie: Sprachen in Ihrem Land.

In … spricht man …
Die offizielle Sprache ist …
Aber es gibt auch …
Die meisten Leute sprechen …

6. Welche Informationen gibt die Landkarte?

a) Ergänzen Sie die Sätze.
Das größte deutsche Bundesland ist …
Düsseldorf ist die Hauptstadt von …
Schleswig-Holstein liegt zwischen der … und der …
Salzburg ist der Name einer Stadt und eines … in Österreich.
Das Fürstentum Liechtenstein hat eine Grenze zu … und zu …

b) Beantworten Sie die Fragen.

– Wie viele Nachbarländer hat die Bundesrepublik Deutschland? Wie heißen sie?

– Was meinen Sie: Welche deutschen Bundesländer gehören
zu | Norddeutschland
Westdeutschland?
Ostdeutschland?
Süddeutschland?

❯
§ 7

– Welche Bundesländer haben eine Grenze zu | Polen?
Frankreich?
Ungarn?

– Welche Bundesländer haben keine Grenzen zum Ausland?

– Welche Bundesländer haben eine Küste?

– Durch welche Bundesländer fließt die Elbe?

– Durch welche Staaten fließt | der Rhein?
die Donau?

c) Suchen Sie weitere Informationen.

Wahrzeichen

1. Die größte Kirche in Deutschland ist der Kölner Dom. 1248 hat man mit dem Bau angefangen; erst 1880 war er fertig. (Von 1560 bis 1842 hat man aber nicht weitergebaut.)

2. Nur wenige Jahre nach dem Tod Wilhelms I. hat man in Berlin die Kaiser-Wilhelm-Gedächtniskirche gebaut. Heute ist die Ruine des Kirchturms ein Denkmal für den Frieden.

3. Das ist die Sankt-Michaeliskirche in Hamburg. Die Hamburger nennen sie einfach den „Michel". Auch der Hafen ist ein Wahrzeichen dieser Stadt.

4. Das Hofbräuhaus braut schon seit 1589 Bier, aber das Gebäude ist vom Ende des 19. Jahrhunderts. Bis zu 30000 Gäste pro Tag trinken hier ihr Bier und singen: „In München steht ein Hofbräuhaus."

5. In Dresden steht der Zwinger, ein Barockschloss aus den Jahren 1710 bis 1732. Nach dem Krieg war der Zwinger zerstört, seit 1964 kann man ihn wieder besichtigen.

6. Der Zeitglockenturm, „de Zytglogge", wie die Schweizer sagen, steht in der Altstadt von Bern. Jede Stunde kommen die Touristen und bewundern die astronomische Uhr.

7. Dieses Riesenrad im Wiener Prater hat der Engländer W. B. Basset in nur acht Monaten gebaut. Es ist 61 Meter hoch. Im Juni 1897 sind die Wiener zum ersten Mal darin gefahren.

8. Frankfurt am Main ist nicht nur als Messestadt berühmt. Frankfurts Wahrzeichen ist der Römerberg mit seinen historischen Häusern. Der „Römer" ist der Sitz des Stadtparlaments.

7. Bilder und Texte – was passt zusammen?

Bild	A	B	C	D	E	F	G	H
Text	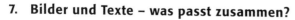							

8. Deutsch aus acht Regionen.

a) Lesen Sie den Dialog.

● Guten Tag, entschuldigen Sie bitte …
■ Guten Tag.
● Wie komme ich bitte zu …?
■ Ja also, das ist ganz einfach. Passen Sie auf:
Sie gehen hier geradeaus bis zum Gasthaus.
Sehen Sie das?
● Ja …
■ Gut. Da gehen Sie links und dann die
zweite Straße rechts. Und dann sind Sie
schon vor …
● Vielen Dank.
■ Bitte schön.
● Auf Wiedersehen.
■ Auf Wiedersehen.

b) Hören Sie jetzt 8 Varianten des Dialogs. Wo spielen sie?   2/42-49

Dialog 1: _____   Dialog 5: _____
Dialog 2: _____   Dialog 6: _____
Dialog 3: _____   Dialog 7: _____
Dialog 4: _____   Dialog 8: _____

> Dresden Bern Hamburg Frankfurt
> Wien München Berlin Köln

c) Wo sagt man ?

… statt „Guten Tag":

Grüezi!   in _____
Grüß Gott! in _____
Moin!   in _____

… statt „Auf Wiedersehen":

Tschüs!   in _____
Servus!   in _____
Uf Widerluege! in _____

… statt „Gasthaus":

Beisl   in _____
Kneipe   in _____
Wirtshaus in _____

9. Eine Sache – viele Namen:

Frikadelle
Bulette (Berlin)
Grillete (Ostdeutschland)
Fleischpflanzerl (Bayern)
Fleischlaberl (Österreich)
Fleischchüechli (Schweiz)

Brötchen
Mutschli / Semmeli (Schweiz)
Semmel (Süddeutschland, Österreich)
Schrippe (Berlin)

Schlagsahne
Schlagrahm (Süddeutschland)
Gschwungne Nidel (Schweiz)
Schlagobers (Österreich)

Pfannkuchen
Reibeplätzchen (Westdeutschland)
Reiberdatschi (Österreich, Bayern)
Kartoffelpuffer (Westfalen)
Gromperekichelcher (Luxemburg)

Das „Herz Europas"

Blau liegt er vor uns, der Bodensee – ein Bindeglied für vier Nationen: für seine Uferstaaten Deutschland, die Schweiz und Österreich, und – ganz in der Nähe – Liechtenstein. 150 Kilometer des Ufers gehören zu Baden-Württemberg, 18 km zu Bayern, 29 km zu Österreich und 69 km zur Schweiz. Hier praktiziert man schon lange die Vereinigung Europas.

Wie selbstverständlich fährt man von Konstanz aus mal kur ins schweizerische Gottlieben zum Essen; die Österreiche können zu Fuß zum Oktoberfest nach Lindau gehen; di Schweizer kommen mit der Fähre nach Friedrichshafen zur Einkaufen. Das war schon vor 100 Jahren so. Damals habe Bodensee-Hoteliers den „Internationalen Bodensee-Verkehrs verein" (IBV) gegründet. Und der existiert heute noch. Der Bodensee ist 538 Quadratkilometer groß. Zwischen Bod man in Deutschland und Bregenz in Österreich ist er 63 Kilo

§ 18

Präpositionen mit **Akkusativ**:

Der Rhein fließt **durch den See**.
Es gibt Berge (rund) **um den See**.

10. Zahlen im Text. – Ergänzen Sie.

2: Es gibt zwei ...
3: Die drei Staaten ...   Es gibt drei ...
4: ...

14: ...	63: ...	150: ...	300: ...
18: ...	69: ...	200: ...	538: ...
29: ...	100: ...	252: ...	1064: ...

...meter lang, zwischen Friedrichshafen und Romanshorn in der ...chweiz 14 Kilometer breit. Am tiefsten ist er südlich von Im-...menstaad: 252 m. Durch den Bodensee fließt der Rhein. ...ußerdem fließen mehr als 200 weitere Flüsse und Bäche in ...en See. Der Wanderweg um den Bodensee ist 316 Kilometer ...ang, der Radweg ungefähr 300 km.

...s gibt zwei Autofähren (Konstanz-Meersburg und Friedrichs-...afen-Romanshorn), und zwischen Mai und Oktober kann ...nan mit dem Schiff praktisch jede Stadt und jedes Dorf am

Bodensee erreichen. Die Schifffahrtslinien betreiben die drei Staaten gemeinsam. Drei große Inseln gibt es im See: Rei-chenau, Mainau und die Stadt Lindau.

Die deutsch-schweizerische Grenze liegt zwischen Konstanz und Kreuzlingen, die österreichisch-schweizerische zwischen Bregenz und Rorschach und die deutsch-österreichische zwi-schen Lindau und Bregenz. Berge gibt es überall rund um den See. Südlich des Bodensees fangen die Alpen an. Am schöns-ten ist der Blick auf den See vom Pfänder (1064 m hoch)

11. In welchem Land liegt …

Rorschach?   Kreuzlingen?   der Pfänder?   Hagnau?

Friedrichshafen?   Bodman?   Konstanz?

Meersburg?   Uhldingen?   Romanshorn?   Bregenz?

Größenangaben

Der	See	ist … Meter	groß.
	Berg		lang.
			breit.
			hoch.
			tief.

12. Urlaub am Bodensee

a) Hören Sie zu und kreuzen Sie an.

Herr Grasser ist

▪ Liechtensteiner.
▪ Schweizer.
▪ Luxemburger.

Seit wann macht er Urlaub am Bodensee?

▪ Seit einem Jahr.
▪ Seit neun Jahren.
▪ Seit zehn Jahren.

Wo hat er früher Urlaub gemacht?

▪ An der Nordsee.
▪ An der Côte d'Azur.
▪ In den Alpen.

Was isst er gern?

▪ Fisch aus dem Bodensee.
▪ Fisch aus dem Rhein.
▪ Fisch aus der Mosel.

Bis Meersburg sind es

▪ drei Kilometer.
▪ fünf Kilometer.
▪ zwölf Kilometer.

Was macht er am liebsten?

▪ Wandern.
▪ Segeln.
▪ Rad fahren.

Wie wohnt er?

▪ In einer Pension.
▪ In einem Hotel.
▪ In einem Appartment.

b) Über welche Sehenswürdigkeiten spricht Herr Grasser außerdem? Kreuzen Sie an.

▪ Auf die „Blumeninsel" Mainau kommt man über eine Brücke. Hier wachsen Palmen, Kakteen und Orchideen.

▪ Die Bregenzer Festspiele: Auf der Seebühne spielt man „La Bohème".

▪ Das Zeppelin-Museum in Friedrichshafen: Am 2. 7. 1900 ist hier der erste Zeppelin geflogen.

▪ Ein Pfahlbaudorf bei Unteruhldingen: So haben die Menschen hier vor 6000 Jahren gelebt.

▪ Das Kloster Birnau: Auch heute noch arbeiten die Mönche im Weinbau.

▪ Der Rheinfall bei Schaffhausen: Der Rhein fällt hier 21 Meter tief.

Liebe in Berlin

Otto	Inge – ick muss dir wat sahrn …
Inge	Wat denn?
Otto	Tja, wie soll ick det jetzt sahrn …
Inge	Weeß ick ooch nich.
Otto	Ick wollte dir sahrn, weeßte … also, ick liebe dir.
Inge	Mir?
Otto	Ährlich!
Inge	Det is dufte, wie de det sahrst, aba det is nich janz richtich.
Otto	Wat denn – gloobste mir det nich?
Inge	Doch, ick gloob dir det, aba det is nich janz richtich, vastehste.
Otto	Nee.
Inge	Du sahrst, ick liebe dir, un det is falsch, vastehste.
Otto	Nee, aba det is mir jetzt ooch ejal.
Inge	Na ja, wenn ick dir ejal bin …
Otto	Nee, Inge, du bis mir nich ejal, ick hab dir doch jesacht, det ick dir liebe.
Inge	Ja, aba det is falsch, det du mir liebst. Ick meene …
Otto	Ick vastehe, ick soll dir richtich lieben!
Inge	Jenau! Siehste, Otto, un jetzt liebe ick dir ooch.

Artikel und Nomen

§ 1 Nominativ

		definiter Artikel		indefiniter Artikel positiv		negativ	
Singular	Maskulinum	der	Tisch	ein	Tisch	kein	Tisch
	Femininum	die	Lampe	eine	Lampe	keine	Lampe
	Neutrum	das	Bild	ein	Bild	kein	Bild
Plural	Maskulinum	die	Tische	–	Tische	keine	Tische
	Femininum	die	Lampen	–	Lampen	keine	Lampen
	Neutrum	die	Bilder	–	Bilder	keine	Bilder

 Artikel im Plural: Maskulinum = Femininum = Neutrum

§ 2 Akkusativ

		definiter Artikel		indefiniter Artikel positiv		negativ	
Singular	Maskulinum	den	Salat	einen	Salat	keinen	Salat
	Femininum	die	Suppe	eine	Suppe	keine	Suppe
	Neutrum	das	Ei	ein	Ei	kein	Ei
Plural	Maskulinum	die	Salate	–	Salate	keine	Salate
	Femininum	die	Suppen	–	Suppen	keine	Suppen
	Neutrum	die	Eier	–	Eier	keine	Eier

Zum Vergleich:

	Nominativ				*Akkusativ*		
Das ist	ein	Tisch,		Ich kaufe	einen	Tisch.	
das ist	kein	Stuhl.		Ich brauche	keinen	Stuhl.	
	Der	Tisch	kostet 100 €.	Ich nehme	den	Tisch.	
Das ist	eine	Lampe,		Ich kaufe	eine	Lampe.	
das ist	keine	Kamera.		Ich brauche	keine	Kamera.	
	Die	Lampe	ist praktisch.	Ich nehme	die	Lampe.	
Das ist	ein	Bild,		Ich kaufe	ein	Bild.	
das ist	kein	Foto.		Ich brauche	kein	Foto.	
	Das	Bild	ist neu.	Ich nehme	das	Bild.	
Das sind		Tische,		Ich kaufe		Tische.	
das sind	keine	Stühle.		Ich brauche	keine	Stühle.	
	Die	Tische	kosten 100 €.	Ich nehme	die	Tische.	

Dativ

		definiter Artikel		indefiniter Artikel positiv		negativ	
Singular	Maskulinum	dem	Garten	einem	Garten	keinem	Garten
	Femininum	der	Terrasse	einer	Terrasse	keiner	Terrasse
	Neutrum	dem	Fenster	einem	Fenster	keinem	Fenster
Plural	Maskulinum	den	Gärten	–	Gärten	keinen	Gärten
	Femininum	den	Terrassen	–	Terrassen	keinen	Terrassen
	Neutrum	den	Fenstern	–	Fenstern	keinen	Fenstern

Zum Vergleich:

Nominativ   *Dativ*

Der Garten	ist groß.	Die Kinder spielen in	dem	Garten	(im Garten).
Die Terrasse	ist neu.	Die Kinder spielen auf	der	Terrasse.	
Das Fenster	ist groß.	Die Kinder spielen an	dem	Fenster	(am Fenster).
Die Fenster	sind groß.	Die Kinder spielen an	den	Fenstern.	

 Dativ Plural: Nomen + -(e)n; *Ausnahme: Nomen mit Plural auf* -s: in den Autos

Genitiv

		definiter Artikel		indefiniter Artikel positiv		negativ	
Singular	Maskulinum	des	Malers	eines	Malers	keines	Malers
	Femininum	der	Stadt	einer	Stadt	keiner	Stadt
	Neutrum	des	Landes	eines	Landes	keines	Landes
Plural	Maskulinum	der	Maler			keiner	Maler
	Femininum	der	Städte		*	keiner	Städte
	Neutrum	der	Länder			keiner	Länder

 * *Form existiert nicht;*
stattdessen: von + Dativ: Die Bilder von Malern des 19. Jahrhunderts …

Zum Vergleich:

Nominativ   *Genitiv*

Der Maler	lebt in Deutschland.	Die Bilder	des Malers	sind berühmt.
Die Stadt	heißt Köln.	Das Wahrzeichen	der Stadt	ist der Dom.
Das Land	liegt in Europa.	Die Hauptstadt	des Landes	ist Bern.
Die Länder	liegen in Europa.	Die Hauptstädte	der Länder	sind berühmt.

§ 5 Übersicht: Definiter Artikel und Nomen

	Mask.		Fem.		Neutr.		Plural	
Nominativ	der	Mann	die	Frau	das	Kind	die	Männer / Frauen / Kinder
Akkusativ	den	Mann	die	Frau	das	Kind	die	Männer / Frauen / Kinder
Dativ	dem	Mann	der	Frau	dem	Kind	den	Männern / Frauen / Kindern
Genitiv	des	Mannes	der	Frau	des	Kindes	der	Männer / Frauen / Kinder

§ 6 Possessivartikel

a) Zum Vergleich:

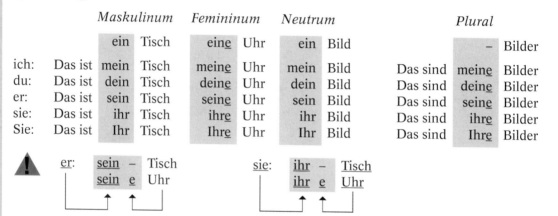

		Maskulinum		Femininum		Neutrum		Plural	
		ein	Tisch	eine	Uhr	ein	Bild		–	Bilder
ich:	Das ist	mein	Tisch	meine	Uhr	mein	Bild	Das sind	meine	Bilder
du:	Das ist	dein	Tisch	deine	Uhr	dein	Bild	Das sind	deine	Bilder
er:	Das ist	sein	Tisch	seine	Uhr	sein	Bild	Das sind	seine	Bilder
sie:	Das ist	ihr	Tisch	ihre	Uhr	ihr	Bild	Das sind	ihre	Bilder
Sie:	Das ist	Ihr	Tisch	Ihre	Uhr	Ihr	Bild	Das sind	Ihre	Bilder

er:	sein	–	Tisch	sie:	ihr	–	Tisch
	sein	e	Uhr		ihr	e	Uhr

b) Übersicht:

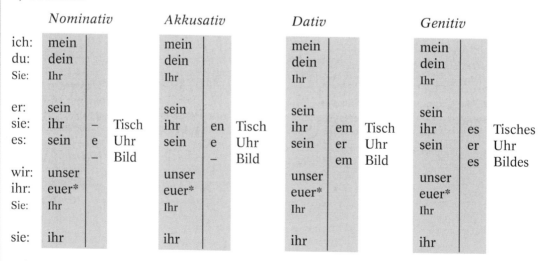

	Nominativ			Akkusativ			Dativ			Genitiv		
ich:	mein			mein			mein			mein		
du:	dein			dein			dein			dein		
Sie:	Ihr			Ihr			Ihr			Ihr		
er:	sein			sein			sein			sein		
sie:	ihr	–	Tisch	ihr	en	Tisch	ihr	em	Tisch	ihr	es	Tisches
es:	sein	e	Uhr	sein	e	Uhr	sein	er	Uhr	sein	er	Uhr
		–	Bild		–	Bild		em	Bild		es	Bildes
wir:	unser			unser			unser			unser		
ihr:	euer*			euer*			euer*			euer*		
Sie:	Ihr			Ihr			Ihr			Ihr		
sie:	ihr			ihr			ihr			ihr		

 * Man sagt: eure Uhr, euren Tisch usw.; aber: euer Tisch, euer Bild usw.

Frageartikel: Welcher?

Der	Fluss fließt durch Hamburg.
Welcher	Fluss fließt durch Hamburg?
Die	Sportlerin hat gewonnen.
Welche	Sportlerin hat gewonnen?
Das	Bundesland hat keine Küste.
Welches	Bundesland hat keine Küste?
Die	Bundesländer haben keine Küste.
Welche	Bundesländer haben keine Küste?

	Maskul.	Femin.	Neutrum	Plural
Nom.	welcher	welche	welches	welche
Akk.	welchen	welche	welches	welche
Dat.	welchem	welcher	welchem	welchen
Gen.	welches	welcher	welches	welcher

Null-Artikel und Mengenangaben

			Null-Artikel	+ Nomen
Was trinkt	Herr Martens?	Er trinkt		Kaffee.
Was isst	Herr Martens?	Er isst		Suppe.
Was kauft	Herr Martens?	Er kauft		Kartoffeln.

				Mengenangaben + Nomen	
Wie viel	Kaffee	trinkt	Herr Martens?	Er trinkt	zwei Tassen	Kaffee.
Wie viel	Suppe	isst	Herr Martens?	Er isst	einen Teller	Suppe.
Wie viel	Kartoffeln	kauft	Herr Martens?	Er kauft	ein Kilogramm	Kartoffeln.

Man sagt auch:
Ich nehme einen Kaffee. (= eine Tasse Kaffee); ... eine Suppe (= einen Teller Suppe)

§ 9 Pluralformen

Darstellung in der Wortliste

Genus der Nomen

r	Tisch	= de<u>r</u> Tisch
e	Lampe	= di<u>e</u> Lampe
s	Foto	= da<u>s</u> Foto

Genus und Plural

r	Tisch, -e	= der Tisch, die Tisch<u>e</u>
e	Lampe, -n	= die Lampe, die Lampe<u>n</u>
s	Foto, -s	= das Foto, die Foto<u>s</u>

Plural der Nomen

Plural- zeichen	*Singular- Form*	*Plural- Form*
-e	Tisch	Tisch<u>e</u>
¨e	Stuhl	St<u>ü</u>hl<u>e</u>
-n	Lampe	Lampe<u>n</u>
-en	Uhr	Uhr<u>en</u>
-	Stecker	Stecker
¨	Mutter	M<u>ü</u>tter
-er	Bild	Bild<u>er</u>
¨er	Land	L<u>ä</u>nd<u>er</u>
-s	Foto	Foto<u>s</u>

§ 10 Ländernamen

Ländernamen ohne Artikel:

Ich fahre nach | Deutschland
Österreich
Frankreich
Dänemark
...
Afrika
Europa
...

Ich komme aus | Deutschland
Österreich
Frankreich
Dänemark
...
Afrika
Europa
...

Ländernamen mit Artikel:

Ich fahre <u>in</u> | <u>die</u> Bundesrepublik Deutschland
<u>die</u> Schweiz
<u>die</u> Türkei
<u>die</u> GUS *(Singular!)*
<u>die</u> USA *(Plural!)*
<u>die</u> Niederlande *(Plural!)*
...

Ich komme <u>aus</u> | <u>der</u> Bundesrepublik Deutschland
<u>der</u> Schweiz
<u>der</u> Türkei
<u>der</u> GUS *(Singular!)*
<u>den</u> USA *(Plural!)*
<u>den</u> Niederlanden *(Plural!)*

Pronomen

Personalpronomen   § 11

		Nominativ	*Akkusativ*	*Dativ*
Singular	l. Person	ich	mich	mir
	2. Person	du	dich	dir
	Höflichkeitsform	Sie	Sie	Ihnen
	3. Person Mask.	er	ihn	ihm
	Fem.	sie	sie	ihr
	Neutr.	es	es	ihm
Plural	l. Person	wir	uns	uns
	2. Person	ihr	euch	euch
	Höflichkeitsform	Sie	Sie	Ihnen
	3. Person	sie	sie	ihnen

(handschriftliche Notiz:) der den dem / die der / das dem

Definitpronomen   § 12

	definiter Artikel		*Definitpronomen* *Nominativ*	*Akkusativ*
Maskulinum	der	Schrank	der	den
Femininum	die	Kommode	die	die
Neutrum	das	Regal	das	das
Plural	die	Stühle	die	die

Zum Vergleich:

Definiter Artikel – Definitpronomen – Personalpronomen

Der Schrank hier,   ist der nicht schön?   – Ja. Aber er ist teuer.
Die Kommode hier,   ist die nicht schön?   – Ja. Aber sie ist teuer.
Das Regal hier,   ist das nicht schön?   – Ja. Aber es ist teuer.

Siehst du den Schrank?   Wie findest du den?   Ich finde ihn schön.
Siehst du die Kommode?   Wie findest du die?   Ich finde sie schön.
Siehst du das Regal?   Wie findest du das?   Ich finde es schön.

§ 13 Indefinitpronomen

	indefiniter Artikel		Indefinitpronomen (positiv/negativ)	
			Nominativ	*Akkusativ*
Maskulinum	ein	Schrank	einer / keiner	einen / keinen
Femininum	eine	Kommode	eine / keine	eine / keine
Neutrum	ein	Regal	eins / keins	eins / keins
Plural	–	Stühle	welche / keine	welche / keine

Ist das <u>ein</u> Schrank? – Ja, das ist <u>einer</u>. / Nein, das ist <u>keiner</u>.
Haben Sie <u>einen</u> Schrank? – Ja, ich habe <u>einen</u>. / Nein, ich habe <u>keinen</u>.

 Plural: Haben Sie <u>Regale</u>? – Ja, ich habe <u>welche</u>. / Nein, ich habe <u>keine</u>.

§ 14 Generalisierende Indefinitpronomen

		Nominativ		*Akkusativ*	
Personen	positiv	Dort ist	jemand.	Ich sehe	jemanden.
	negativ	Dort ist	niemand.	Ich sehe	niemanden.
Sachen	positiv	Dort ist	etwas.	Ich sehe	etwas.
	negativ	Dort ist	nichts.	Ich sehe	nichts.

Präpositionen

§ 15 Lokale Präpositionen

vor   neben   an   hinter   von   nach

unter   in   auf   über   gegen

aus   zu   um   durch   zwischen

Wechselpräpositionen

a) Zum Vergleich:

Wo? *(situativ)*

Wo ist Michael?			
	Er ist	auf <u>dem</u> Balkon.
	Er ist	an <u>der</u> Tür.
	Er ist	in <u>dem</u> Haus.

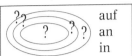

	auf	
	an	+ Dativ
	in	

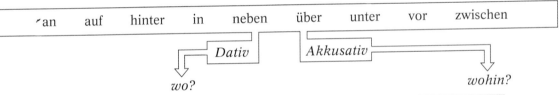 in de<u>m</u> → im: (Er ist <u>in dem</u> Haus.) → Er ist <u>im</u> Haus.
an de<u>m</u> → am: (Er ist <u>an dem</u> Fenster.) → Er ist <u>am</u> Fenster.

Wo Wohin? *(direktiv)*

Wohin geht Michael?			
	Er geht	auf <u>den</u> Balkon.
	Er geht	an <u>die</u> Tür.
	Er geht	in <u>das</u> Haus.

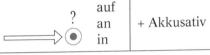

	auf	
	an	+ Akkusativ
	in	

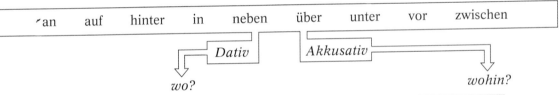 in da<u>s</u> → ins: (Er geht <u>in das</u> Haus.) → Er geht <u>ins</u> Haus.
an da<u>s</u> → ans: (Er geht <u>an das</u> Fenster.) → Er geht <u>ans</u> Fenster.

b) Übersicht: Alle Wechselpräpositionen

ˊan	auf	hinter	in	neben	über	unter	vor	zwischen

Dativ → *wo?*

Akkusativ → *wohin?*

Die Kinder sind	im	Bett.
Michael steht	am	Fenster.
Die Bücher liegen	auf dem	Tisch.
Der Bär ist	unter der	Brücke.
Das Flugzeug ist	über der	Stadt.
Karin steht	vor dem	Haus.
Die Kinder spielen	hinter dem	Haus.
Das Auto steht	neben der	Kirche.
Der Tisch steht	zwischen dem	Schrank
	und dem	Bett.

Er bringt Eva	ins	Bett.
Er geht	ans	Fenster.
Er tut die Bücher	auf den	Tisch.
Er geht	unter die	Brücke.
Es fliegt	über die	Stadt.
Sie geht	vor das	Haus.
Sie gehen	hinter das	Haus.
Es fährt	neben die	Kirche.
Stell den Tisch	zwischen den	Schrank
	und das	Bett.

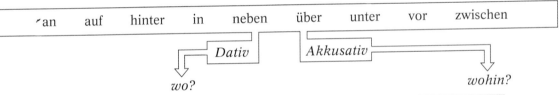 <u>in</u> de<u>m</u> → <u>im</u>: Er ist im Haus.
<u>an</u> de<u>m</u> → <u>am</u>: Er ist am Fenster.

<u>in</u> da<u>s</u> → <u>ins</u>: Er geht ins Haus.
<u>an</u> da<u>s</u> → <u>ans</u>: Er geht ans Fenster.

GRAMMATIK

§ 17 Präpositionen mit Dativ

aus	bei	mit	nach	seit	von	zu

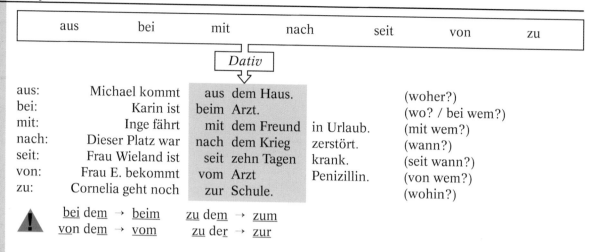

aus:	Michael kommt	**aus** dem Haus.		(woher?)
bei:	Karin ist	**beim** Arzt.		(wo? / bei wem?)
mit:	Inge fährt	**mit** dem Freund	in Urlaub.	(mit wem?)
nach:	Dieser Platz war	**nach** dem Krieg	zerstört.	(wann?)
seit:	Frau Wieland ist	**seit** zehn Tagen	krank.	(seit wann?)
von:	Frau E. bekommt	**vom** Arzt	Penizillin.	(von wem?)
zu:	Cornelia geht noch	**zur** Schule.		(wohin?)

! bei dem → beim   zu dem → zum
  von dem → vom   zu der → zur

§ 18 Präpositionen mit Akkusativ

durch	für	gegen	ohne	um

Akkusativ

durch:	Michael fährt	**durch** die Stadt.	(wie?)
für:	Die Kommode ist	**für** den Flur.	(wofür?)
gegen:	Karin nimmt eine Tablette	**gegen** die Kopfschmerzen.	(wogegen?)
ohne:	Inge fährt	**ohne** den Freund in Urlaub.	(ohne wen?)
um:	Es gibt einen Wanderweg	**um** den Bodensee.	(wo?)

§ 19 Die Uhrzeit

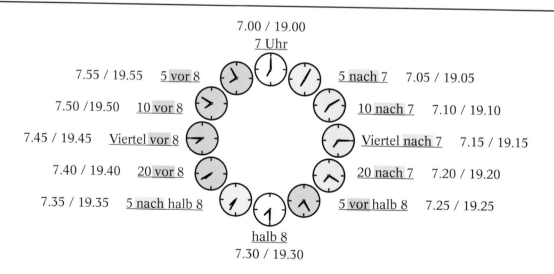

7.00 / 19.00
7 Uhr

7.55 / 19.55   5 vor 8   5 nach 7   7.05 / 19.05
7.50 / 19.50   10 vor 8   10 nach 7   7.10 / 19.10
7.45 / 19.45   Viertel vor 8   Viertel nach 7   7.15 / 19.15
7.40 / 19.40   20 vor 8   20 nach 7   7.20 / 19.20
7.35 / 19.35   5 nach halb 8   5 vor halb 8   7.25 / 19.25

halb 8
7.30 / 19.30

Wie spät	ist es?	Es ist	halb drei.
Wie viel Uhr			fünf nach halb drei.
			Viertel vor drei.

Wann	kommst du?	Ich komme um	neun Uhr.
Um wie viel Uhr			fünf nach neun.
			Viertel nach neun.

Adjektiv/Adverb

Formen
§ 20

Der Schrank	ist	groß.	Ich finde den Schrank	groß.
Die Kommode	ist	billig.	Ich finde die Kommode	billig.
Das Regal	ist	gut.	Ich finde das Regal	gut.
Die Regale	sind	teuer.	Ich finde die Regale	teuer.

Steigerung
§ 21

regelmäßig

Positiv	Komparativ	Superlativ	
	er	am	(e)sten
klein	kleiner	am	kleinsten
hell	heller	am	hellsten
wenig	weniger	am	wenigsten *little*
schmal	schmaler	am	schmalsten *narrow*
dünn	dünner	am	dünnsten *thin*
schön	schöner	am	schönsten *nice*
leise	leiser	am	leisesten *soft, quiet*
dunkel	dunkler (!)	am	dunkelsten
sauer	saurer (!)	am	sauersten
teuer	teurer (!)	am	teuersten

mit Vokalwechsel

Positiv	Komparativ	Superlativ	
	er	am	(e)sten
alt	älter	am	ältesten
kalt	kälter	am	kältesten
hart	härter	am	härtesten
warm	wärmer	am	wärmsten
lang	länger	am	längsten
scharf	schärfer	am	schärfsten
stark	stärker	am	stärksten
groß	größer	am	größten (!)
hoch	höher (!)	am	höchsten
kurz	kürzer	am	kürzesten

unregelmäßig

Positiv	Komparativ	Superlativ	
gut	besser	am	besten
gern	lieber	am	liebsten
viel	mehr	am	meisten
many	*more*		*most*

GRAMMATIK

Verb

§ 22 Personalpronomen und Verb

Singular	l. Person		ich	wohne	–e	arbeite	heiße
	2. Person *Höflichkeitsform*		du Sie	wohnst wohnen	–st –en	arbeitest arbeiten	heißt heißen
	3. Person Mask. Fem. Neutr.		er sie es	wohnt	–t	arbeitet	heißt
Plural	l. Person		wir	wohnen	–en	arbeiten	heißen
	2. Person *Höflichkeitsform*		ihr Sie	wohnt wohnen	–t -en	arbeitet arbeiten	heißt heißen
	3. Person		sie	wohnen	–en	arbeiten	heißen

§ 23 Verben mit Vokalwechsel

	sprechen	nehmen	essen	sehen	schlafen	laufen
ich	spreche	nehme	esse	sehe	schlafe	laufe
du	sprichst	nimmst	isst	siehst	schläfst	läufst
er/sie/es	spricht	nimmt	isst	sieht	schläft	läuft
wir	sprechen	nehmen	essen	sehen	schlafen	laufen
ihr	sprecht	nehmt	esst	seht	schlaft	lauft
sie/Sie	sprechen	nehmen	essen	sehen	schlafen	laufen

ebenso: helfen, messen, lesen, fahren, geben, vergessen, empfehlen, fallen …

⚠️ *Angaben zum Vokalwechsel im Wörterverzeichnis!*

§ 24 „sein", „haben", „tun", „werden", „mögen", „wissen"

	sein	haben	tun	werden	mögen	wissen
ich	bin	habe	tue	werde	mag	weiß
du	bist	hast	tust	wirst	magst	weißt
er/sie/es	ist	hat	tut	wird	mag	weiß
wir	sind	haben	tun	werden	mögen	wissen
ihr	seid	habt	tut	werdet	mögt	wisst
sie/Sie	sind	haben	tun	werden	mögen	wissen
	to be	*to have*	*to do*	*to be- come*	*to like*	*to know*

Modalverben §25

	möchten	können	dürfen	müssen	wollen	sollen
ich	möchte	kann	darf	muss	will	soll
du	möchtest	kannst	darfst	musst	willst	sollst
er/sie/es	möchte	kann	darf	muss	will	soll
wir	möchten	können	dürfen	müssen	wollen	sollen
ihr	möchtet	könnt	dürft	müsst	wollt	sollt
sie/Sie	möchten	können	dürfen	müssen	wollen	sollen

(handwritten:) would like — can — to be allowed to — must — want — should

Imperativ §26

	kommen	warten	nehmen	anfangen	sein
Sie:	Kommen Sie!	Warten Sie!	Nehmen Sie!	Fangen Sie an!	Seien Sie …!
du:	Komm!	Warte!	Nimm!	Fang an!	Sei …!
ihr:	Kommt!	Wartet!	Nehmt!	Fangt an!	Seid …!

Verben mit trennbarem Verbzusatz §27

Er <u>muss</u> das Zimmer **auf** räumen.   Er räumt das Zimmer **auf** .
Er <u>hat</u> das Zimmer **auf** geräumt.   Räum das Zimmer **auf** !

↑
Verbzusatz (betont)

<u>ab</u>fahren	<u>an</u>fangen	<u>auf</u>hören	<u>aus</u>sehen	<u>ein</u>kaufen	<u>statt</u>finden
<u>her</u>stellen	<u>hin</u>fallen	<u>mit</u>bringen	<u>nach</u>denken	<u>zu</u>hören	<u>zurück</u>bringen
<u>um</u>ziehen	<u>vor</u>haben	<u>weg</u>fahren	<u>weiter</u>suchen	<u>fern</u>sehen	

Präteritum: „haben", „sein" §28

	haben	sein
ich	hatte	war
du	hattest	warst
er/sie/es	hatte	war
wir	hatten	waren
ihr	hattet	wart
sie/Sie	hatten	waren

Zum Vergleich: Präteritum / Perfekt

Er <u>hatte</u> einen Unfall.   *(Präteritum)*
Er <u>hat</u> einen Unfall <u>gehabt</u>.   *(Perfekt)*

Er <u>war</u> in Italien.   *(Präteritum)*
Er <u>ist</u> in Italien <u>gewesen</u>.   *(Perfekt)*

§ 29 Perfekt: Hilfsverb und Partizip II

Was	**hast**	du	**gemacht** ?
Was	**ist**	denn	**passiert** ?

↑ *Hilfsverb* haben / sein   + *Partizip II* ↑

ich	habe	gespielt	bin	gekommen
du	hast	gespielt	bist	gekommen
er/sie/es	hat	gespielt	ist	gekommen
wir	haben	gespielt	sind	gekommen
ihr	habt	gespielt	seid	gekommen
sie/Sie	haben	gespielt	sind	gekommen

§ 30 Perfekt mit „haben" oder „sein": Partizipformen

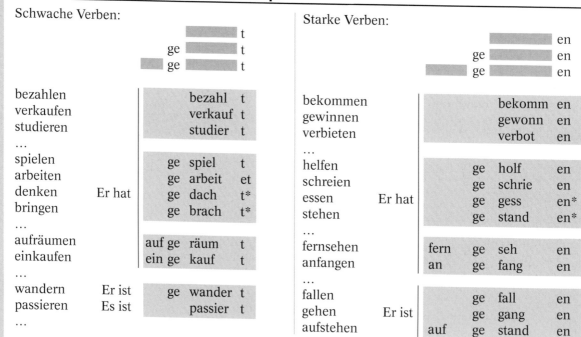

Schwache Verben:

		t
ge		t
ge		t

bezahlen		bezahl	t
verkaufen		verkauf	t
studieren		studier	t
…			
spielen		ge spiel	t
arbeiten		ge arbeit	et
denken	Er hat	ge dach	t*
bringen		ge brach	t*
…			
aufräumen		auf ge räum	t
einkaufen		ein ge kauf	t
…			
wandern	Er ist	ge wander	t
passieren	Es ist	passier	t
…			

Starke Verben:

		en
ge		en
ge		en

bekommen		bekomm	en
gewinnen		gewonn	en
verbieten		verbot	en
…			
helfen		ge holf	en
schreien		ge schrie	en
essen	Er hat	ge gess	en*
stehen		ge stand	en*
…			
fernsehen	fern	ge seh	en
anfangen	an	ge fang	en
…			
fallen		ge fall	en
gehen	Er ist	ge gang	en
aufstehen	auf	ge stand	en

 * *unregelmäßige Formen:* → *Wortliste S. 148 ff.*

Satzstrukturen

§ 31 Wortfrage

Vorfeld	*Verb*	*Subjekt*	*Angabe*	*Ergänzung*
Wer	ist	Herr Müller?		
Wer	ist	das?		
Wie	heißen	Sie?		
Woher	kommen	Sie?		
Wo	wohnen	Sie?		

Satzfrage

Vorfeld	Verb	Subjekt	Angabe	Ergänzung
bleibt leer!	Ist	das		Maja Matter?
	Ist	Maja		verheiratet?
	Wohnt	sie		in Brienz?
	Hat	sie	auch	zwei Kinder?
	Sind	die Kinder	noch	klein?

Aussagesatz

a) Im Vorfeld: Subjekt

Vorfeld	Verb	Subjekt	Angabe	Ergänzung
Das	ist			Frau Wiechert.
Sie	kommt			aus Dortmund.
Herr Kaiser	isst		morgens	ein Brötchen.
Er	trinkt		danach	einen Kaffee.
Ich	esse		oft	Fisch.
Ich	trinke		gern	Kaffee.

b) Im Vorfeld: Angabe

Vorfeld	Verb	Subjekt	Angabe	Ergänzung
Morgens	isst	Herr Kaiser		ein Brötchen.
Danach	trinkt	er		einen Kaffee.

c) Im Vorfeld: Ergänzung

Vorfeld	Verb	Subjekt	Angabe	Ergänzung
Fisch	esse	ich	oft.	
Kaffee	trinke	ich	gern.	

Imperativ

Vorfeld	Verb	Subjekt	Angabe	Ergänzung
bleibt leer!	Nehmen	Sie	doch noch	etwas Fisch!
	Nimm		doch noch	etwas Fleisch!
	Nehmt		doch noch	einen Tee!

§ 35 Modalverben

Vorfeld	Verb$_1$	Subjekt	Angabe	Ergänzung	Verb$_2$
Man	kann		hier	einen Film	sehen.
Hier	darf	man	nicht		rauchen.
Wir	müssen		noch eine Stunde		warten.
Rauchen	darf	man	hier nicht.		

Modalverb → (Verb$_1$)
Infinitiv → (Verb$_2$)

§ 36 Verben mit trennbarem Verbzusatz

Vorfeld	Verb$_1$	Subjekt	Angabe	Ergänzung	Verb$_2$
Willi	bereitet		um acht Uhr	das Frühstück	vor.
Jetzt	steht	Ilona			auf.
Klaus	sieht		heute Abend		fern.

Verbzusatz → (Verb$_2$)

Mit Modalverb:

Vorfeld	Verb$_1$	Subjekt	Angabe	Ergänzung	Verb$_2$
Willi	muss		um acht Uhr	das Frühstück	vorbereiten.
Jetzt	muss	Ilona		aufstehen.	
Klaus	möchte		heute Abend		fernsehen.

§ 37 Perfekt

	Vorfeld	Verb$_1$	Subjekt	Angabe	Ergänzung	Verb$_2$
Präsens:	Lisa	fährt			Rad.	
	Plötzlich	fällt	sie			hin.
	Das Bein	tut		sehr		weh.
	Der Arzt	kommt		auch.		
Perfekt:	Lisa	ist			Rad	gefahren.
	Plötzlich	ist	sie			hingefallen.
	Das Bein	hat		sehr		wehgetan.
	Der Arzt	ist		auch		gekommen.

haben/sein → (Verb$_1$)
Partizip II → (Verb$_2$)

Verben mit zwei Ergänzungen

Vorfeld	Verb₁	Subjekt	Ergänzung	Angabe	Ergänzung	Verb₂
Herr Winter	muss		Anna		in die Schule	bringen.
Um 7.50 Uhr	bringt	er	sie		in die Schule.	
Du	musst		den Schal	immer	in den Schrank	tun.
	Tu		den Schal		in den Schrank!	
Die Mutter	kauft		dem Kind	heute	ein Fahrrad.	
Das Fahrrad	will	sie	ihm	morgen		schenken.

Verben und Ergänzungen

Verben ohne Ergänzung

aufstehen   schreien
aufwachen   schwimmen
einschlafen   sterben
fernsehen   tanzen
hinfallen   wachsen
passieren   weinen
schlafen   wiederkommen

Wer?	schreit?
	wächst
Was?	stirbt?

Das Kind   schreit.
Die Blume   wächst
Der Mann   stirbt.

↑
Subjekt

Verben mit Ergänzung im Nominativ (Einordnung, Gleichsetzung, Qualität)

Wer?	sein	Wer ist das?
Was?	sein	Was ist er?
	werden	Was wird er?
Wie?	heißen	Wie heißt sie?
	sein	Wie ist sie?
	aussehen	Wie sieht sie aus?

Hans Müller	sein	Das	ist	Hans Müller.
Ingenieur	sein	Er	ist	Ingenieur.
Landwirt	werden	Er	wird	Landwirt.
Maja Matter	heißen	Sie	heißt	Maja Matter.
verheiratet	sein	Sie	ist	verheiratet.
gut	aussehen	Sie	sieht	gut aus.

§ 41 Verben mit Akkusativergänzung

Was?	essen nehmen	Was isst er? Was nimmt er?
Wen?	bedienen treffen	Wen bedient sie? Wen trifft sie?

einen Salat	essen	Er	isst	einen Salat.
eine Suppe	nehmen	Er	nimmt	eine Suppe.
einen Gast	bedienen	Sie	bedient	einen Gast.
einen Freund	treffen	Sie	trifft	einen Freund.

Weitere Verben mit Akkusativergänzung:
anrufen, anziehen, aufräumen, bekommen, brauchen, einladen, erkennen, erledigen, finden, haben, holen, kaufen, kennen, kosten, lesen, lieben, mitnehmen, reparieren, schneiden, sehen, suchen, tragen, trinken, vergessen, wissen

 es gibt + *Akkusativ*: Es gibt heute keinen Fisch.

§ 42 Verben mit Dativergänzung

Wem?	antworten fehlen gehören helfen schmecken	Wem antwortet er? Wem fehlt sie? Wem gehört das? Wem hilft sie? Wem schmeckt es?

dem Lehrer	antworten	Er	antwortet	dem Lehrer.
ihm	fehlen	Sie	fehlt	ihm.
dir	gehören	Das	gehört	dir.
ihrer Freundin	helfen	Sie	hilft	ihrer Freundin.
mir	schmecken	Es	schmeckt	mir.

Weitere Verben mit Dativergänzung:
gefallen, passen, reichen

Verben mit Dativergänzung und Akkusativergänzung

Wem?	Was?		geben schenken zeigen erklären	Wem gibt er was? Wem schenkt sie was? Wem zeigt er was? Wem erklärt er was?	

dem Freund	das Buch	geben		Er	gibt	dem Freund	das Buch.
ihm	eine Platte	schenken		Sie	schenkt	ihm	eine Platte.
der Frau	den Weg	zeigen		Er	zeigt	der Frau	den Weg.
ihr	das Problem	erklären		Er	erklärt	ihr	das Problem.

Weitere Verben mit Dativergänzung und Akkusativergänzung:
bringen, leihen, empfehlen, verbieten

Verben mit Situativergänzung

Wo?		sein wohnen stehen liegen sitzen	Wo ist er? Wo wohnt er? Wo steht er? Wo liegt sie? Wo sitzt sie?

in Deutschland	sein		Er	ist	in Deutschland
in Berlin	wohnen		Er	wohnt	in Berlin.
vor der Post	stehen		Er	steht	vor der Post.
im Bett	liegen		Sie	liegt	im Bett.
auf dem Stuhl	sitzen		Sie	sitzt	auf dem Stuhl.

Verben mit Direktivergänzung

Wohin?	gehen fahren fliegen	Wohin geht sie? Wohin fährt er? Wohin fliegt sie?
Woher?	kommen	Woher kommt sie?

zur Post	gehen		Sie	geht	zur Post.
nach Hause	fahren		Er	fährt	nach Hause.
nach Berlin	fliegen		Sie	fliegt	nach Berlin.
aus Köln	kommen		Sie	kommt	aus Köln.

§ 46 Verben mit Akkusativergänzung und Direktivergänzung

Was?	Wohin?	legen stellen tun bringen	Was legt er wohin? Was stellt sie wohin? Was tut er wohin? Was bringt er wohin?
Wen?	Wohin?	bringen	Wen bringt er wohin?

das Kissen	auf den Stuhl	legen	Er	legt	das Kissen	auf den Stuhl.
die Tasche	auf den Tisch	stellen	Sie	stellt	die Tasche	auf den Tisch.
den Schal	in den Schrank	tun	Er	tut	den Schal	in den Schrank.
das Kind	zur Schule	bringen	Er	bringt	das Kind	zur Schule.

§ 47 Verben mit Verbativergänzung

	Was tun?	gehen	Was geht er tun?
Was?	Was tun?	lassen	Was lässt sie was tun?

das Auto	spazieren waschen	gehen lassen	Er Sie	geht lässt	das Auto	spazieren. waschen.

Negation

§ 48 Negation mit „nicht" und mit „kein"

Negation mit nicht				*Negation mit* kein		
Ich komme	nicht.			Ich habe	keine	Zeit.
Der Stuhl ist	nicht.	da.		Das ist	kein	Stuhl.
Ich trinke den Wein	nicht.			Ich trinke	keinen	Wein.

Vorfeld	*Verb*	*Subjekt*	*Ergänzung*	*Angabe*	*Ergänzung*
Ich	komme			morgen nicht.	
Morgen	komme	ich		nicht.	
Ich	trinke		den Wein	nicht.	
Den Wein	trinke	ich		nicht.	
Heute	trinke	ich			keinen Wein.
Ich	habe			heute	keine Zeit.

Hier finden Sie alle Wörter, die in diesem Buch vorkommen, mit Angabe der Seiten. (Den „Lernwortschatz" finden Sie im Arbeitsbuch jeweils auf der ersten Seite der Lektionen.) Einige zusammengesetzte Wörter (Komposita) stehen nur als Teilwörter in der Liste.
Bei Nomen stehen der Artikel und die Pluralform; Nomen ohne Angabe der Pluralform benützt man nicht im Plural. Die Artikel sind abgekürzt: r = der, e = die, s = das.
Bei Verben stehen Hinweise zu den Ergänzungen und abweichende Konjugationsformen für
„er"/„sie"/„es" und das Perfekt.

Abkürzungen:

jmd	=	jemand	*Adj* =	Adjektiv/Adverb als Ergänzung im Nominativ
etw	=	etwas	*Sit* =	Situativergänzung
N	=	Nominativ	*Dir* =	Direktivergänzung
A	=	Akkusativ	*Verb* =	Verbativergänzung
D	=	Dativ		

A

ab_fahren   fährt ab, ist abgefahren
   88

e Abfahrt 98

ab·heben GeldA   hat
   abgehoben 95

ab·holen *jmd*ₐ / *etw*ₐ (Sit) 86,
   87, 89

r Abschnitt, -e 113

ab·stellen *etw*ₐ 85

aktuell 112

r Akzent, -e 120

allein 87, 88, 89

e Ampel, -n 104

ander- 72, 119, 120

anders 103, 120

r Anfänger, - 79

s Angebot, -e 112

e Angst, ⸚e 74, 89

an·halten (*etw*ₐ) hält an, hat
   angehalten 88, 89

an·kreuzen *etw*ₐ 71, 126

an·nähen *etw*ₐ 85

an·schließen *etw*ₐ hat
   angeschlossen 90, 91, 113

an·stellen *etw*ₐ 85

s Antibiotikum, Antibiotika
   72

e Apotheke, -n 72, 93, 94

r Appetit 80

arbeitslos 103

arm 69

r Arm, -e 70

s Arzneimittel, - 95

astronomisch 122

e Atmosphäre 103

attraktiv 114

auf einmal 88, 89

auf·nehmen *jmd*ₐ / *etw*ₐ (auf
   *etw*ₐ) nimmt auf, hat
   aufgenommen 113

auf·passen (auf *jmd*ₐ / *etw*ₐ)
   123

auf·schlagen *etw*ₐ schlägt auf,
   hat aufgeschlagen 97

auf·wachen ist aufgewacht 74,
   88, 89

s Auge, -n 70

e Auskunft, ⸚e 101

s Ausland 121

aus·machen *etw*ₐ 85

aus·schlafen schläft aus, hat
   ausgeschlafen 74

außerdem 82, 118, 125

aus·steigen (aus etwD) (Sit)
   ist ausgestiegen 88, 89, 99

aus·ziehen (aus etwD) (Sit)
   ist ausgezogen 84, 90

e Autobahn, -en 88, 101

B

r Bach, ⸚e 125

e Bäckerei, -en 93, 94, 114

e Bahn, -en 96, 101

r Bahnhof, ⸚e 78, 94, 101

r Ball, ⸚e 106

e Bank, ⸚e 89, 99, 100

r Bau, -ten 122

r Bauer, -n 114

r Beamte, -n (ein Beamter)
   119

beantworten *etw*ₐ 72, 73, 86,
   121

bearbeiten *etw*ₐ 86

bedeuten *etw*ₐ 72

behalten *etw*ₐ behält, hat
   behalten 114

s Bein, -e 70

s Beispiel, -e 72, 96

bekannt 114

e / r Bekannte, -n (ein Bekannter)
   109

beraten *jmd*ₐ (über/bei *etw*ₐ)
   berät, hat beraten 108

r Berg, -e 125

r Bericht, -e 89

berühmt 102, 119, 122

e Beschäftigung, -en 114

besichtigen *etw*ₐ 122

besorgen *etw*ₐ 96

besprechen *etw*$_A$ (mit *jmd*$_D$)
bespricht, hat besprochen
96

besser 101

e Besserung 75

bestehen aus etwD hat
bestanden 120

bestehen PrüfungA hat
bestanden 109

bestimmt 75, 92

r Besuch, -e 82

e Bevölkerung 120

bewundern *etw*$_A$ / *jmd*$_A$ 122

r Bildschirm, -e 112

s Bindeglied, -er 124

bisschen 75, 89

blau 124

r Blick, -e 114, 125

bloß 76

e Blume, -n 81, 85, 96, 105,
108, 126

r Boden, -¨ 91

bohren *etw*$_A$ 90

s Bonbon, -s 71

s Brandenburger Tor 98, 99,
102, 103

brauen 122

breit 110, 125

s Brett, -er 110

r Brief, -e 72, 78, 81, 95, 105,
106, 109, 114

e Brille, -n 78, 106

e Brücke, -n 126

e Brust (-¨e) 70, 71, 72, 73

e Buchhalterin, -nen / r
Buchhalter, - 75, 82

e Buchhaltung 75

e Buchhandlung, -en 93, 94

s Bundesland, -¨er 120, 121

e Bundesrepublik 101, 120

e Bundesstraße, -n 101

r Bundestag 102

r Bürger, - 102

s Büro, -s 82, 86

r Bus, -se 98, 101, 102

r Busen, - 70

C

s Camping 106, 108

e Chance, -n 114

r Chef, -s 75

e Chemie 118

s Cholesterin 73

r Comic, -s 110

r Computer, - 106, 111, 112,
115

D

dabei 78

daher 120

damals 102, 103, 124

e Dame, -n 116

s Dänisch 120

darin 122

e Datei, -en 112, 113

s Datum, Daten 119

dauern ZeitA 79

davon 74

e Decke, -n 91

denken an *etw*$_A$ hat gedacht
103, 116

s Denkmal, -¨er 122

deshalb 103, 107, 114

deutsch 98, 102

deutschsprachig 120

s Dia, -s 112

r Dialekt, -e 120

dick 73, 110

r Dienst 108

diesmal 90

digital 112

s Ding, -e 96, 112

r Discman 106, 115

r Doktor, -en 69, 72

s Dokument, -e 112

e Dokumentation, -en
112

s Dorf, -¨er 114

Dr. (= Doktor) 72

s Drittel, - 74

e Drogerie, -n 72

dünn 110

durch 102, 119, 125

durch und durch 112

r Durchfall 71, 74

r Durst 80

r DVD-Player, - 106, 107

E

e Ecke, -n 97

egal 114

eigen- 120

ein bisschen 75

ein paar 84

einer 92

eingebaut 112

eingebildet 80

eingeschlossen sein 103

e Einladung, -en 109

einmal 74

ein·packen *etw*$_A$ 78, 111

ein·schalten *etw*$_A$ 112

ein·schlafen schläft ein, ist
eingeschlafen 74, 88, 114

ein·schlagen *etw*$_A$ schlägt ein,
hat eingeschlagen 91

ein·steigen (in *etw*$_A$) ist
eingestiegen 91

ein·zahlen GeldA (Dir) 95

empfehlen *jmd*$_D$ *etw*$_A$ / *jmd*$_A$
empfiehlt, hat empfohlen 107,
111

endgültig 119

entdecken *etw*$_A$ / *jmd*$_A$ 118

entfernt 102

erben *etw*$_A$ 114

erfinden *etw*$_A$ hat erfunden
118

erfolgreich 114

e Erinnerung, -en 112

erkältet 71

e Erkältung, -en 74

erklären (*jmd*$_D$) *etw*$_A$ 107

e Erklärung, -en 97

erleben *etw*$_A$ 83

erledigen *etw*$_A$ 96

erreichen *etw*$_A$ 125

e / r Erwachsene, -n (ein
Erwachsener) 98

F

e Fähre, -n   124, 125
e Fahrkarte, -n   95, 96, 101
r Fahrplan, ¨e   101
s Fahrrad, ¨er   81, 106, 107, 111, 114
e Fahrt, -en   99
fallen   Adj   fällt, ist gefallen   82, 126
falsch   90, 103
e Farbe, -n   90
fehlen   (jmd_D)   80, 103, 114
e Feier, -n   109
r Feierabend, -e   114
r Fernseher, -   112
fertig sein   122
fest·halten   etw_A   hält fest, hat festgehalten   112
s Festspiel, -e   126
s Feuerzeug, -e   106
filmen   etw_A   112
fliegen   Dir   ist geflogen   100, 108
fließen   Dir   ist geflossen   121, 125
r Flug, ¨e   101
r Flughafen, ¨   101
e Fluglinie, -n   118
s Flugzeug, -e   101
r Fluss, ¨e   125
föderativ   120
folgend-   96
e Frage, -n   72, 92, 96, 107, 118, 121
s Französisch   120
e Freiheit, -en   103
fremd   103
freuen   105
r Friede   122
früher   102, 103, 114
r Führerschein, -e   109
furchtbar   80
r Fuß, ¨e   69, 70

G

s Gebäude, -   98, 102, 103, 122

gebrauchen   etw_A   113
gebrochen   77, 84
e Gedächtniskirche   122
gefährlich   72
gefallen   jmd_D   gefällt, hat gefallen   114
gehören   zu jmd_D / etwD   118, 124
gemeinsam   125
genau   75
gerade   82
geradeaus   97, 104, 123
s Gerät, -e   112, 118
s Geräusch, -e   91
e Geschäftsleute (Plural)   102
s Geschwür, -e   72
gestern   90, 92
gesund   69, 72, 114
e Gesundheit   72, 114
s Gesundheitsmagazin, -e   72
geteilt   102
r Getränkemarkt, ¨e   94
gewinnen   (etw_A)   hat gewonnen   84
gießen   etw_A   hat gegossen   81, 85
s Gigabyte, -s   112
e Gitarre, -n   75
gleich   74, 89, 90, 120
s Grad, -e   74
e Grenze, -n   121, 125
e Grippe   71
e Großstadt, ¨e   114
grüß dich   83
grüß Gott   123
s Gut, ¨er   69

H

r Hafen, ¨   122
r Hals, ¨e   70, 72, 73, 105, 106
halten: links halten   hält, hat gehalten   104
e Haltestelle, -n   86
e Hand, ¨e   71
r Handschuh, -e   78
e Handtasche, -n   113

r Handwerker, -   90
häufig   74
e Hausaufgaben (Plural)   87
e Heirat   119
heiraten   (jmd_A)   82, 83, 84, 105
heiß   74
helfen   jmd_D   (bei/mit etwD) hilft, hat geholfen   74, 90, 107, 114
herum   104
herunter·laden   etw_A   lädt herunter, hat heruntergeladen   112, 113
s Herz, -en (auch -e)   124
High·Tech   112
e Hilfe   110
hinaus   103
hin·fallen   fällt hin, ist hingefallen   76
hinter   98, 99
hinunter·fallen   fällt hinunter, ist hinuntergefallen   84
historisch   122
s Hochdeutsch   120
höchste   69
höchstens   74, 119
e Hoffnung, -en   104
s Holz   110
e Homepage, -s   101
r Honig   74
e Hörprobe, -n   123
e Hose, -n   78
r Hotelier, -s   124
s Huhn, ¨er   114
r Hund, -e   106, 114
r Husten   71

I

identisch   75
e Innenstadt, ¨e   101
s Interesse, -n   103
s Internet   81, 101, 112, 113
irgend-   92, 114
s Italienisch   120

J

e Jacke, -n 89
e Jahreszahl, -en 119
s Jahrhundert, -e 122
japanisch 117
e Jazzband, -s 75
e Journalistin, -nen / r Journalist, -
en 102, 103
s Jubiläum, Jubiläen 105, 108
r Jugendliche, -n (ein
Jugendlicher) 102
jung 102

K

s Kaffeehaus, ¨er 123
r Kaktus, Kakteen 126
e Kamille 72, 74
kaputt·machen etw$_A$ 90
s Kartenhandy, -s 107
e Katze, -n 85, 106
kennen·lernen jmd$_A$ 83
s Kennzeichen, - 120
e Kette, -n 105, 106, 107
r Kilometer, - 124
r Kindergarten, ¨ 86
e Kirche, -n 94, 98, 122
klar 85, 103, 114
e Kleidung 95, 118
klettern Dir ist geklettert 100
s Klima 114
klingeln (Sit) 74, 84, 114
klingen Adj hat geklungen
120
s Kloster, ¨ 126
e Kneipe, -n 123
s Knie, - 70
r Knopf, ¨e 85
r Koffer, - 78, 106
r Kohl 123
r Kollege, -n 76, 103
e Kommunikation 112
komponieren etw$_A$ 118
r Komponist, -en 118, 119
e Kompresse, -n 72
r Konflikt, -e 74, 103
r König, -e 110

e Konsultation, -en 80
r Kopf, ¨e 71, 114
krank 69, 70, 74, 83
e / r Kranke, -n (ein Kranker) 80
e Krankenversicherungskarte, -n
78
e Krankheit, -en 69, 70, 72
r Kreislauf 74
e Kreuzung, -en 104
r Krieg, -e 102, 122
e Kriminalität 103
e Kugel, -n 98
e Kuh, ¨e 114
kühl 69
r Kunde, -n 112, 114
kündigen (jmd$_D$) 84
r Künstler, - 102
s Kuriosum, Kuriosa 120
e Küste, -n 120, 121

L

lachen 114
landen 101
s Landhaus, ¨er 114
e Landkarte, -n 121
lang 110, 124
e Langeweile 114
langweilig 114
lassen lässt, hat gelassen 87, 95,
96
laufen Dir / Adj läuft, ist
gelaufen 80, 110
lebendig 112, 120
legen etw$_A$ Dir 100
e Lehne, -n 110
r Lehrling, -e 82
e Leitung, -en 90
r Leser, - 72
letzt- 83
s Licht 74, 85
e Liebe 69, 127
lieben etw$_A$ / jmd$_A$ 107, 114
liefern etw$_A$ (jmd$_D$) (Dir) 90
e Linde, -n 98, 102
Linien- 101
links 97, 104
s Loch, ¨er 90

los·fahren fährt los, ist
losgefahren 88
s Lotto 84
e Luft 74, 114

M

r Magen, ¨ 72, 73, 75, 114
malen etw$_A$ 81, 118
r Maler, - 90, 118
r Mann, ¨er 84
r Mantel, ¨ 96, 100
e Margarine 73
märkisch: die märkischen Seen
103
e Mauer, -n 98, 102
s Medikament, -e 72, 74, 78,
114
e Meditation, -en 74
e Meinung, -en 103
merken 89
e Messe, -n 113, 122
e Metzgerei, -en 93, 94
e Minderheit, -en 120
s Miniformat, -e 112
r Minister, - 119
e Mitarbeiterin, -nen 114
miteinander 89
mit·fahren (mit jmd$_D$) fährt mit,
ist mitgefahren 99
mit·nehmen jmd$_A$ / etw$_A$ (Dir)
nimmt mit, hat mitgenommen
78, 86, 87, 89
mit·spielen (mit jmd$_D$) 75
mittag 83
e Mitte 101
s Möbel, - 110
s Modem, -s 112
e Möglichkeit, -en 84
r Mönch, -e 126
s Motorrad, ¨er 115, 118,
123
s Motto, -s 114
müde 74, 88
r Mund, ¨er 70
s Museum, Museen 94, 102
mutterseelenallein 88
e Mütze, -n 78

N

nach Hause 86, 90
nach·denken (über *etw*$_A$ / *jmd*$_A$)
   hat nachgedacht 92, 114
r Nachrichtensender, - 103
e Nacht, ¨e 74
e Nähe 124
e Nase, -n 70, 71
e Nation, -en 124
neben 97, 98, 100, 102
nennen *etw*$_A$ / *jmd*$_A$ hat
   genannt 114
nervös 72
s Neujahr 88
niedrig 110
r Notar, -e 114
e Notiz, -en 91, 99

O

offener 103
offiziell 120, 121
e Oma, -s 96
e Oper, -n 98, 102
operieren *jmd*$_A$ 84
optimistisch 103
e Orchidee, -n 126
r Osten 120

P

paar: ein paar Mal 114
packen *etw*$_A$ 78
s Paket, -e 96
e Palme, -n 126
s Papier, -e 74, 78, 105, 106
s Parfüm, -s 105, 106
r Park, -s 94
parken (*etw*$_A$) (Sit) 88
r Parkplatz, ¨e 88, 89, 94
s Parlament, -e 102, 122
e Party, -s 105, 108
r Pass, ¨e 95
e Passage, -n 102
passen Dir 107, 113
passieren ist passiert 76, 84, 102
s Pech 90

s Penizillin 72
e Pension, -en 126
perfekt 112, 116
s Pfahlbaudorf, ¨er 126
r Pfannkuchen, - 123
e Pfeife, -n 105, 106, 115
s Pferd, -e 114
e Pflanze, -n 72
s Pflaster 78
r Plan, ¨e 97
plötzlich 77, 88
r Politiker, - 118
e Polizei 89, 91
e Polizeistation, -en 89
e Post 93, 94
praktizieren *etw*$_A$ 124
präsentieren *etw*$_A$ 112
s Produkt, -e 112, 118
e Prüfung, -en 82, 83, 109
r Pullover, - 78, 85
putzen *etw*$_A$ 85

Q

e Quadriga 98, 99
e Qual, -en 74
s Quiz, - 119

R

s Rad, ¨er 107, 125
r Rastplatz, ¨e 88
e Raststätte, -n 88
r Rat, Ratschläge 71, 72
s Rathaus, ¨er 94, 98, 99
s Rätoromanisch 120
r Ratschlag, ¨e 73, 74
rechnen 116
e Rechnung, -en 80
Recht haben 72
rechts 97
e Regierung, -en 102
e Region, -en 123
reich 69
reichen (*jmd*$_D$) 114
r Reichstag 98, 99, 102, 103
reinigen *etw*$_A$ 95
e Reinigung 93, 94

r Reiseführer, - 106, 111
reklamieren 90
rekonstruieren *etw*$_A$ 75
r Rentner, - 102
reparieren *etw*$_A$ 95, 106, 108
e Republik, -en 102, 120
r Rest, -e 98, 120
s Rezept, -e 69
s Riesenrad, ¨er 122
r Ring, -e 105, 106
r Polizist, -en 84, 89
r Rücken, - 70
e Rückenlehne, -n 110
r Rücksitz, -e 88
rufen *etw*$_A$ / *jmd*$_A$ hat gerufen
   89
e Ruine, -n 122
rund um 102, 125
e Rundfahrt, -en 98

S

e Sache, -n 84, 123
e Sachertorte, -n 90
scannen 112
r Scanner, - 112
s Schaf, -e 114
r Schal, -s 78
r Schalter, - 101
r Schauspieler, - 118
schenken *jmd*$_D$ *etw*$_A$ 107, 108
schicken *jmd*$_D$ *etw*$_A$ 80, 96,
   112
s Schiff, -e 125
e Schifffahrtslinie, -n 125
s Schlafmittel, - 114
r Schlafsack, ¨e 106
schlapp 74
r Schlauch, ¨e 91
schlimm 72, 75, 84
s Schloss, ¨er 122
r Schluss 114
schmal 110
r Schmerz, -en 71, 72, 73, 74,
   114
r Schmuck 106
schnell 110
schneller 101

zu Seite 119, Übung 3:

Personen-Quiz

Die Person Nr. 1 heißt Wolfgang Amadeus Mozart.
Die Person Nr. 2 heißt Johann Wolfgang von Goethe.

zu Seite 122, Übung 7:

Bilder und Texte – was passt zusammen?

A–8, B–6, C–5, D–7, E–4, F–1, G–2, H–3

Bildquellenverzeichnis

Seite 69: *Apotheke:* MHV-Archiv (MEV)
Seite 75: *Mitte rechts:* Charles Heard, München
Seite 81: *Maler:* © Ernst Luthmann, Ismaning; *Kochen, Aufräumen, Schreiben, Fernsehen, Bett gehen, Internet surfen:* © Hartmut Aufderstraße, Bereldange/L
Seite 82: MHV-Archiv (Jens Funke)
Seite 88: *Karte:* Ruth Kreuzer, London
Seite 89: *Foto:* MHV-Archiv (Dieter Reichler); *Zeichnung:* Jana Weers, Weßling
Seite 94: *Zeichnung:* Ruth Kreuzer, London
Seite 98: 1: MHV-Archiv (MEV); 2, 4, 5: © Presse- und Informationsamt des Landes Berlin (Thie, G. Schneider, W. Gerling); 3: © Partner für Berlin/FTB-Werbefotografie (Fritsch); 6: © Ildar Nazyrov, Berlin
Seite 99: 1, 2: © Presse- und Informationsamt des Landes Berlin (G. Schneider, W. Gerling); 3, 4, 5: © Partner für Berlin/FTB-Werbefotografie (Fritsch); *Zeichnungen:* Michael Luz Illustration, Stuttgart
Seite 100: 1, 3, 5, 6: © Presse- und Informationsamt des Landes Berlin (W. Gerling, G. Schneider, Thie); 2: © Partner für Berlin/FTB-Werbefotografie; 4: MHV-Archiv (MEV); *Zeichnungen:* Michael Luz Illustration, Stuttgart
Seite 101: *Karte:* Ruth Kreuzer, London
Seite 102: © Presse- und Informationsamt des Landes Berlin (G. Schneider)
Seite 103: Presse- und Informationsamt des Landes Berlin (G. Schneider, Thie)

Seite 105: *Pfeife, Blumenstrauß, Handtasche:* Prospektmaterial
Seite 106: *Zweimannzelt, Schlafsack:* © Big Pack GmbH; *Discman:* © Sony Deutschland GmbH 2002
Seite 110: *Zeichnungen:* Michael Luz Illustration, Stuttgart
Seite 112: *Fotomesse:* © Sony Deutschland GmbH 2002
Seite 114: MVH-Archiv (MEV)
Seite 115: *Motorrad:* © BMW AG; *Computer:* © Fujitsu Siemens Computer Pressebild 2002
Seite 117: Dr. Paul Schwarz, Landau
Seite 119: MHV-Archiv
Seite 120/121: *Karte:* Ruth Kreuzer, London
Seite 122: A: MHV-Archiv (MEV); B: © KölnTourismus (Inge Decker); C: © Peter Scharnagl/Hofbräuhaus München; D: © Schweiz Tourismus, Frankfurt; E: MHV-Archiv (MEV); F: © Österreich Werbung (Mayer); G: © Hamburg Tourismus GmbH; H: © Presse- und Informationsamt des Landes Berlin / G. Schneider
Seite 124: *Reliefkarte Bodensee:* entnommen dem Bodensee-Magazin, Konstanz
Seite 126: *Touristen:* Grasser, Luxemburg; *Mainau:* © www.mainau.de; *Bregenz:* © Bregenzer Festspiele (Karl Forster); *Zeppelin:* © Zeppelin Museum Friedrichshafen; *Pfahlbaudorf / Kloster Birnau:* © Tourist-Information Uhldingen-Mühlhofen GmbH; *Rheinfall:* © Schaffhausen Tourismus

Fotos Seiten 70, 72, 73, 74, 75 (oben und ganz unten), 76, 77, 78 (Personenfoto), 81 (ins Kino, ins Konzert, ins Theater gehen, Begrüßung, Fahrrad fahren, Essen gehen, Kaffee trinken), 83, 84, 85, 97, 123 (oben): Gerd Pfeiffer, München

Fotos Seiten 69 (Medikamente, Rezepte), 75 (Mitte links), 78 (Objekte), 81 (Häuser, Gartenarbeit, Blumen gießen, Lesen), 93, 95, 105 (restliche), 106 (restliche), 108, 110 (Tische), 112, 113 (oben), 123 (Lebensmittel): Werner Bönzli, Reichertshausen;

Wir haben uns bemüht, alle Inhaber von Bildrechten ausfindig zu machen. Sollten Rechte-Inhaber hier nicht aufgeführt sein, so ist der Verlag für entsprechende Hinweise dankbar

EUTSCH ALS FREMDSPRACHE NIVEAUSTUFE **A1**

Themen 1
aktuell

Arbeitsbuch

LEKTION 6-10

Vorwort

Im Arbeitsbuchteil werden die wichtigen Redemittel jeder Lektion einzeln herausgehoben und ihre Bildung und ihr Gebrauch geübt. Alle Übungen sind einzelnen Lernschritten im Kursbuch zugeordnet.

Am Anfang jeder Lektion steht eine Übersicht der Redemittel, die in der Lektion gelernt werden. Die Seiten- und Paragraphen-Angaben darin beziehen sich auf das Kursbuch. Für die Kursleiterin oder den Kursleiter ist diese Übersicht eine Orientierungshilfe, für die Lernenden eine Möglichkeit der Selbstkontrolle: Nach Durchnahme der Lektion sollte kein Eintrag in der Liste mehr unbekannt sein. Die Autoren empfehlen nicht, diese Listen auswendig zu lernen – das Durcharbeiten der Übungen setzt einen effizienteren Lernprozess in Gang.

Die Übungen des Arbeitsbuchs können im Kurs vor allem nach Erklärungsphasen in Stillarbeit eingesetzt werden. Je nach den Lernbedingungen der Kursteilnehmer können die Übungen aber auch weitgehend in häuslicher Einzelarbeit gemacht werden.

Zu den meisten Übungen gibt es im Schlüssel eine Lösung. Dies ermöglicht es den Lernenden, selbstständig zu arbeiten und sich selbst zu korrigieren. So kann dieses Arbeitsbuch – evtl. zusammen mit einem Glossar – dazu dienen, versäumte Stunden selbstständig nachzuholen.

Über die Möglichkeit, die Lösungen aus dem Schlüssel abzuschreiben, sollte man sich nicht allzu viele Gedanken machen. Oft ist der Lernerfolg dabei fast ebenso groß. Manche Lernende lassen sich von dem Argument überzeugen, dass das Abschreiben meistens wesentlich mühsamer ist als ein selbstständiges Lösen der Aufgabe.

Nicht alle Übungen lassen sich im Arbeitsbuch selbst lösen; für manche Übungen wird also eigenes Schreibpapier benötigt.

Verfasser und Verlag

Inhalt

Bildquellenverzeichnis

Arbeitsbuch Seiten 92/93:   Ruth Kreuzer, London

Arbeitsbuch Seite 95:   Anahid Bönzli, Tübingen

Arbeitsbuch Seite 106:   The Walt Disney Company, Eschborn

Arbeitsbuch Seite 107:   Michael Luz Illustration, Stuttgart

Wir haben uns bemüht, alle Inhaber von Bildrechten ausfindig zu machen. Sollten Rechte-Inhaber hier nicht aufgeführt sein, so wäre der Verlag für entsprechende Hinweise dankbar.

Wortschatz

Verben

aufwachen 74	einschlafen 74	mitnehmen 78	stehen 74
bedeuten 72	gehen 70	packen 78	tun 65, 69, 73
bleiben 71, 75	helfen 74	passieren 76	verstehen 19, 72
dauern 79	hinfallen 76	Recht haben 72	wehtun 70
einpacken 78	klingeln 74	sollen 72	

Nomen

e Angst, ⸚e 74	r Fuß, ⸚e 69, 70	e Krankheit, -en 70, 72	r Rücken, - 70
e Apotheke, -n 72	r Fußball 70	e Licht 74	r Schmerz, -en 71, 72, 73, 74
e Ärztin, -nen / r Arzt, ⸚e 69, 72	e Geschichte, -n 76	s Licht 74	r Schnupfen 71, 74
s Auge, -n 70	e Gesundheit 69, 72	e Luft 74	s Spiel, -e 75
r Bahnhof, ⸚e 78	s Grad, -e 74	r Magen, ⸚ 72, 73	r Sport 72, 74
r Bauch, ⸚e 70, 71	e Grippe 71	s Medikament, -e 72, 74, 78	e Sprechstunde, -n 69, 72
s Bein, -e 70	r Hals, ⸚e 70, 72	r Mund ⸚er 70	e Tablette, -n 71, 73
s Beispiel, -e 72	e Hand, ⸚e 71	e Mütze, -n 78	s Thema, Themen 72
e Brust 70, 71, 72, 73	r Handschuh, -e 78	e Nacht, ⸚e 74	r Tipp, -s 74
e Chefin, -nen / r Chef, -s 75	r Husten 71	e Nase, -n 70, 71	r Tropfen, - 72
r Doktor, -en 69, 72	s Knie, - 70	s Obst 73	s Verbandszeug 78
Dr. = Doktor 72	r Koffer, - 78	s Papier 74, 78	e Verstopfung 73
s Drittel, - 74	e Kollegin, -nen / r Kollege, -n 76	e Pflanze, -n 72	r Wecker, - 74
e Drogerie, -n 72	r Konflikt, -e 74	s Pflaster, - 78	s Wochenende, -n 75
e Erkältung, -en 74	r Kopf, ⸚e 71	r Pullover, - 78	r Zahn, ⸚e 70, 71
e Frage, -n 72	r Krankenversicherungskarten, -n 78	r Rat, Ratschläge 71, 72, 73, 74	

Adjektive

arm 69	gefährlich 72	krank 69, 70, 74	reich 69
dick 73	gesund 69, 72	kühl 69	schlimm 72, 75
erkältet 71	gleich 74	müde 74	schwer 74
gebrochen 77	heiß 74	nervös 72	vorsichtig 72, 73

Adverbien

bestimmt 75	genau 75	lange 72	unbedingt 72, 74
bloß 76	häufig 74	plötzlich 77	wirklich 75, 76
einmal 74	höchstens 74	täglich 69	

Funktionswörter

ander- 72	über 72
so viel 72	

Ausdrücke

ein bisschen 75	zum Beispiel 72, 74
Sport treiben 72, 74	

Grammatik

Possessivartikel (§ 6)

	Maskulinum	Femininum	Neutrum	Plural: Mask. / Fem. / Neutrum
er	sein Stuhl	seine Lampe	sein Regal	seine Stühle / Lampen / Regale
sie	ihr Stuhl	ihre Lampe	ihr Regal	ihre Stühle / Lampen / Regale
es	sein Stuhl	seine Lampe	sein Regal	seine Stühle / Lampen / Regale
wir	unser Stuhl	unsere Lampe	unser Regal	unsere Stühle / Lampen / Regale
ihr	euer Stuhl	eure Lampe	euer Regal	eure Stühle / Lampen / Regale
sie	ihr Stuhl	ihre Lampe	ihr Regal	ihre Stühle / Lampen / Regale

Perfekt (§ 29, 30 und 37)

Bring die Bierflaschen nach unten. Die habe ich gestern nach unten gebracht.
Wann kommt der Arzt? Der ist schon gekommen.

Perfekt mit „sein" bei diesen Verben:

aufstehen	ist aufgestanden	mitkommen	ist mitgekommen
aufwachen	ist aufgewacht	passieren	ist passiert
bleiben	ist geblieben	Rad fahren	ist Rad gefahren
einschlafen	ist eingeschlafen	reisen	ist gereist
eintreten	ist eingetreten	schwimmen	ist geschwommen
einziehen	ist eingezogen	sein	ist gewesen
fahren	ist gefahren	spazieren gehen	ist spazieren gegangen
gehen	ist gegangen	stehen	ist / hat gestanden
hinfallen	ist hingefallen	umziehen	ist umgezogen
kommen	ist gekommen	werden	ist geworden

Imperativ (§ 26 und 34)

Nimm doch noch etwas Fleisch, Lea!
Nehmt doch noch etwas Fleisch, Lea und Christian!
Nehmen Sie doch noch etwas Fleisch, Frau Wieland!

Modalverb „sollen" (§ 25 und 35)

kann schlimm sein! Sie müssen viel spazieren gehen. Trinken Sie keinen Kaffee und keinen Wein. Sie dürfen nicht fett essen.

Dr. Braun schreibt, ich soll viel spazieren gehen.
Ich soll keinen Kaffee und keinen Wein trinken,
und ich soll auch nicht fett essen.

LEKTION 6

Nach Übung

1

im Kursbuch

1. Was passt nicht?

a) Auge – Ohr –(Bein)– Nase
b) Arm –Zahn– Hand – Finger
c) Kopf –Gesicht– Augen –(Fuß)

d) Rücken – Bauch – Brust –(Ohr)
e) (Bauch)– Mund – Nase – Zahn
f) Zeh – Fuß –(Hand)– Bein

Nach Übung

2

im Kursbuch

2. Ergänzen Sie.

Nummer 1 ist _seine Nase_
Nummer 2 ist sein Bauch
Nummer 3 ist _ihr Arm_
Nummer 4 ist ihr gesicht
Nummer 5 ist ihr Ohr
Nummer 6 ist sein Aug
Nummer 7 ist sein Kopf
Nummer 8 ist ihr fuß

Nummer 9 ist sein Bein.
Nummer 10 ist ihr Bein
Nummer 11 ist ihr Hals
Nummer 12 ist ihr mund
Nummer 13 ist ihr Gesicht
Nummer 14 ist sein Rücken
Nummer 15 ist sein AUGE
Nummer 16 ist ihre hand

Nach Übung

2

im Kursbuch

3. Bilden Sie den Plural.

a) _die_ Hand, _Hände_
b) der Arm, Arme
c) die Nase, Nasen
d) der Finger, Finger

e) das Gesicht, GESICHTER
f) der Fuß, Füßen
g) das Auge, Augen
h) der Rücken, Rücken

i) das Bein, Beine
j) das Ohr, Ohre
k) der Kopf, Köpfe
l) die Zahn, Zähne

4. Welches Verb passt?

Nach Übung
5
im Kursbuch

sein	brauchen	beantworten	verstehen	nehmen	haben

a) Recht   Schmerzen   Grippe ___ *haben*
b) Deutsch   ein Gespräch   das Problem ___ *verstehen*
c) Tropfen   ein Bad   Medikamente ___ *nehmen*
d) eine Frage   einen Brief   nicht alles ___ ~~haben~~ *beantworten*
e) krank   schlimm   erkältet ___ *sein*
f) Tabletten   einen Arzt   einen Rat ___ *~~er~~ brauchen*

5. Was muss Herr Kleimeyer tun? Was darf er nicht? Schreiben Sie.

Nach Übung
6
im Kursbuch

a) erkältet
im Bett bleiben
schwimmen gehen
Nasentropfen nehmen

Choose 3

Herr Kleimeyer ist erkältet.
Er muss im Bett bleiben.
Er darf nicht schwimmen gehen.
Er muss Nasentropfen nehmen.

b) nervös
rauchen
Gymnastik
viel spazieren gehen

c) Kopfschmerzen
nicht rauchen
spazieren gehen
Alkohol trinken

d) Magenschmerzen
Tee trinken
Wein trinken
fett essen

e) zu dick
viel Sport treiben
Schokolade essen
eine Diät machen

f) nicht schlafen können   *kann*
abends schwimmen gehen
abends viel essen
Kaffee trinken   *stomach ulcer*

g) Magengeschwür
viel arbeiten
den Arzt fragen
vorsichtig leben

Hausaufgaben

6. „Können", „müssen", „dürfen", „sollen", „wollen", „möchten"?   *mögen*

Nach Übung
6
im Kursbuch

a) Frau Moritz:
Ich _MUSS_ jeden Monat zum Arzt _soll_
gehen. Der Arzt sagt, ich _darf_ dann
am Morgen nichts essen und trinken, denn
er _kann_ mein Blut untersuchen. Jetzt
warte ich hier schon 20 Minuten, und ich
möchte eigentlich gern etwas essen.
Aber ich _darf_ noch nicht.

b) Herr Becker:
Ich habe immer Schmerzen im Rücken.
Der Arzt sage ich _musse_ Tabletten
nehmen. Aber das _kann_ ich nicht,
denn dann bekomme ich immer
Magenschmerzen. Meine Frau sagt, ich
soll jeden Morgen Gymnastik
machen. Aber das _will_ ich auch
nicht, denn ich habe oft keine Zeit. Meine
Kollegen meinen, ich _will_ zu Hause
bleiben, aber ich _muss_ doch Geld
verdienen.

c) Herr Müller:
Ich habe Schmerzen im Bein. Ich
_____Kann_____ nicht gut gehen. Der Arzt
sagt, ich _____soll_____ oft schwimmen
gehen, aber ich habe immer so wenig Zeit.
Ich _____Muss_____ bis 18 Uhr arbeiten.

d) Karin:
Ich _____wil_____ nicht zum Doktor, denn
er tut mir immer weh. Ich _____mochte_____
keine Tabletten nehmen. Immer sagt er, ich
_____Muss/soll_____ morgens, mittags und abends
Tabletten nehmen. Ich _____mochte_____ das
nicht mehr.

Nach Übung

6

im Kursbuch

7. „Müssen" oder „sollen"? „Nicht dürfen" oder „nicht sollen"?

● Herr Doktor, ich habe immer so Magenschmerzen.
■ Herr Keller, Sie müssen vorsichtig sein, Sie
dürfen nicht so viel arbeiten.

● Herr Doktor, ich habe immer …
■ Herr Keller,
a) Sie *müssen* viel schlafen. →
b) Sie _____ viel Obst essen. →
c) Sie _____ nicht Fußball spielen. →
d) Sie _____ Tabletten nehmen. →
e) Sie _____ keinen Kuchen essen. →
f) Sie _____ nicht so viel rauchen. →
g) Sie _____ oft schwimmen gehen. →
h) Sie _____ keinen Wein trinken. →
i) Sie _____ nicht fett essen. →

● Was sagt der Arzt, Markus?
■ Er sagt, ich soll vorsichtig sein, und ich soll
nicht so viel arbeiten.

● Was sagt der Arzt, Markus?
■ Er sagt,
ich soll viel schlafen.
_____
_____
_____
_____
_____
_____
_____
_____

8. Bilden Sie den Imperativ.

● Was soll ich denn machen?

a) schwimmen gehen
   ■ *Geh doch schwimmen!*
b) eine Freundin besuchen
c) Freunde einladen
d) spazieren gehen
e) etwas lesen
f) eine Stunde schlafen
g) das Kinderzimmer aufräumen
h) einen Brief schreiben
i) einkaufen gehen
j) das Geschirr spülen
k) das Abendessen vorbereiten
l) fernsehen
m) endlich zufrieden sein

9. Wie heißt das Gegenteil? *Hausaufgabe*

neu   krank   un-...   ~~hässlich~~

zusammen   ~~kalt~~   ~~sauer~~

gleich   klein   un-...   dick

ruhig   un-...   un-...   leise

un-...

hell   un-...   un-...

geschlossen   schlecht   un-...   schwer   un-...

a) alt — *jung neu*
b) gefährlich — *ungefährlich*
c) glücklich — *unglücklich*
d) bequem — *unbequem*
e) gut — *schlecht*
f) modern — *unmodern*
g) vorsichtig — *unvorsichtig*
h) zufrieden — *unzufrieden*
i) leicht — *schwer*
j) heiß — *kalt*
k) nervös — *ruhig*
l) süß — *sauer*

m) ehrlich — *unehrlich*
n) gesund — *krank*
o) schlank — *dick*
p) verschieden — *gleich*
q) schön — *hässlich*
r) günstig — *ungünstig*
s) wichtig — *unwichtig*
t) laut — *leise*
u) groß — *klein*
v) dunkel — *hell*
w) geöffnet — *geschlossen*
x) getrennt — *zusammen*

Hausaufgabe

10. Ilona Zöllner hat auf dem Schiff „MS Astor" Urlaub gemacht. Was hat sie dort jeden Tag gemacht? Schreiben Sie.

a) *Um halb neun ist ...*

b) *Dann ...*

c) *Danach ...*

d) *Sie hat ...*

e) *und ...*

f) *Um ein Uhr ...*

g) *Von drei bis vier Uhr ...*

h) *Dann ...*

i) *Um fünf Uhr ...*

j) *Danach ...*

k) *Um sechs Uhr ...*

l) *Abends ...*

11. Ihre Grammatik. Ergänzen Sie.

Nach Übung
15
im Kursbuch

* Perfekt mit „sein"

Infinitiv	Partizip II
anfangen	angefangen
anrufen	angerufen
antworten	geantwortet
arbeiten	gearbeitet
aufhören	aufgehört
aufmachen	aufgemacht
aufräumen	aufgeräumt
aufstehen	aufgestanden*
ausgeben	ausgegeben
aussehen	ausgesehen
baden	gebadet
bauen	gebaut
beantworten	beantwortet
bedeuten	bedeutet
bekommen	bekommen
beschreiben	beschrieben
bestellen	bestellt
besuchen	besucht
bezahlen	bezahlt
bleiben	geblieben*
bringen	gebraucht
brauchen	gebracht
diskutieren	diskutiert
duschen	geduscht
einkaufen	eingekauft
einladen	eingeladen
einschlafen	eingeschlafen*
entscheiden	entschieden
erzählen	erzählt
essen	gegessen
fahren	gefahren*
feiern	gefeiert
fernsehen	ferngesehen
finden	gefunden
fotografieren	fotografiert
tragen	gefragt
frühstücken	gefrühstückt

Infinitiv	Partizip II
funktionieren	funktioniert
geben	gegeben
gehen	gegangen*
glauben	geglaubt
gucken	geguckt
haben	gehabt
heißen	geheißen
helfen	geholfen
herstellen	hergestellt
holen	geholt
hören	gehört
informieren	informiert
kaufen	gekauft
kennen	gekannt
klingen	geklingelt
	gekocht
kommen	gekommen*
kontrollieren	kontrolliert
korrigieren	korrigiert
kosten	gekostet
leben	gelebt
leihen	geliehen
lernen	gelernt
lesen	gelesen
	gelegen
machen	gemacht
meinen	gemeint
	gemessen
	mitgebracht
	genommen
passen	gepasst
passieren	passiert*
rauchen	geraucht
	gesagt
schauen	geschaut
	geschlafen
schmecken	geschmeckt

Infinitiv	Partizip II
schneiden	geschnitten
schreiben	geschrieben
schwimmen	geschwommen*
sehen	gesehen
sein	gewesen*
spielen	gespielt
sprechen	gesprochen
spülen	gespült
stattfinden	stattgefunden
	gestanden
stimmen	gestimmt
	gestört
studieren	studiert
suchen	gesucht
tanzen	getanzt
telefonieren	telefoniert
treffen	getroffen
trinken	getrunken
tun	getan
umziehen	umgezogen* – sein / haben
verbieten	verboten
verdienen	verdient
vergessen	vergessen
vergleichen	verglichen
verkaufen	verkauft
verstehen	verstanden
vorbereiten	vorbereitet
vorhaben	vorgehabt
warten	gewartet
waschen	gewaschen
weitersuchen	weitergesucht
wissen	gewusst
wohnen	gewohnt
zeichnen	gezeichnet
zuhören	zugehört

Nach Übung

15

im Kursbuch

12. Ergänzen Sie die Übersicht.

Sie finden Beispiele in Übung 11.

-t		-en	
hat	ge_____t gekauft	hat	ge_____en getroffen
hat	gearbeitet	ist	gegangen
hat	____ge_____t aufgeräumt	hat	____ge_____en ferngesehen
		ist	eingeschlafen
hat	_____t verkauft	hat	_____en bekommen

13. Welche Form passt nicht in die Gruppe?

a)
- A angefangen
- B eingeschlafen
- C eingekauft
- D mitgekommen

c)
- A gefragt
- B geschlafen
- C gehabt
- D gefrühstückt

e)
- A aufgehängt
- B hergestellt
- C mitgenommen
- D aufgeräumt

g)
- A gebraucht
- B gearbeitet
- C gewartet
- D geantwortet

b)
- A geschrieben
- B umgezogen
- C gegangen
- D geblieben

d)
- A geholfen
- B genommen
- C gesprochen
- D gekauft

f)
- A passiert
- B fotografiert
- C ferngesehen
- D studiert

h)
- A geschwommen
- B gefunden
- C getrunken
- D gesucht

14. Welches Wort passt?

a) Sie müssen ___wirklich___ zum Arzt gehen. _unbedingt_ _plötzlich_
b) Mein Magen hat ___ein bisschen___ wehgetan, ich habe sofort eine Tablette genommen.
c) Was hast du denn ___gern nur___ gemacht?
d) Ich bin nicht wirklich krank, ich bin ___nur/bloß___ ein bisschen erkältet.
e) 5000 Euro, das ist ___zu viel (-höchstens___! Ich bezahle ___nur___ 3000.
f) ● ___Wie oft___ gehst du denn schwimmen?
   ■ Nicht so ___oft___, nur jeden Montag.
g) Bis Sonntag bist du ___bestimmt___ wieder gesund.
h) Möchtest du noch ___ein bisschen___ Milch?
i) Du musst ___wirklich___ mitkommen, es ist sehr wichtig.
j) Ich habe nicht viel Zeit, ___nur___ eine Stunde.
k) Ich kann nicht mitspielen. Ich bin ___ein___ krank. ___unbedingt bisschen___

bestimmt	bloß	gar nicht
ein bisschen	oft	gern	nur
häufig	höchstens	unbedingt
wie lange	wie oft	
plötzlich	fast	spät
selbst	wirklich	
unbedingt	höchstens	zu viel

15. Bilden Sie den Imperativ.

● Was sollen wir denn machen?

a) schwimmen gehen
   ■ _Geht doch schwimmen!_

b) Musik hören
c) Freunde besuchen
d) Freunde einladen
e) Fußball spielen
f) einkaufen gehen
g) für die Schule arbeiten
h) fernsehen
i) ein bisschen aufräumen
j) ein Buch lesen
k) spazieren gehen
l) Musik machen
m) endlich zufrieden sein

Nach Übung

17

im Kursbuch

16. Ihre Grammatik. Ergänzen Sie den Imperativ.

	du	ihr	Sie
kommen		kommt	
geben			
essen	iss		
lesen			
nehmen			
sprechen			sprechen sie
vergessen			
einkaufen			
(ruhig) sein			

Nach Übung

17

im Kursbuch

17. Ihre Grammatik. Ergänzen Sie.

a) Nehmen Sie abends ein Bad!

b) Ich soll abends ein Bad nehmen.

c) Sibylle hat abends ein Bad genommen.

d) Trink nicht so viel Kaffee!

	Vorfeld	Verb$_1$	Subj.	Angabe	Ergänzung	Verb$_2$
a)	_____	Nehmen	Sie	abends	ein Bad!	
b)	_____					
c)	_____					
d)	_____					

Nach Übung

20

im Kursbuch

18. Schreiben Sie einen Brief.

Sie haben einen Skiunfall gehabt. Schreiben Sie an einen Freund / eine Freundin.

am Nachmittag Ski gefahren   zum Arzt gegangen

Fuß hat sehr wehgetan   fantastisch

nicht vorsichtig gewesen   nicht mehr Ski fahren dürfen

schon zwei Wochen in Lenggries   gefallen

morgen nach Hause fahren   aber gestern Unglückstag

Lenggries, …

Lieb…
ich bin schon zwei …
Der Urlaub war …
Aber gestern …

Wortschatz

Verben

abfahren 88	einsteigen 91	lassen 87	telefonieren 86, 89
abholen 86, 87, 89	fallen 82	malen 81	überlegen 82
abstellen 85	geben 89	merken 89	vorbeikommen 90
ansehen 91	gewinnen 84	operieren 84	wecken 86
anstellen 85	gießen 81, 85	parken 88	wegfahren 83
ausmachen 85	heiraten 82, 83, 84	putzen 85	
aussteigen 88, 89	kennen lernen 83	rufen 89	
ausziehen 84, 90	kündigen 84	sitzen 88	

Nomen

e Adresse, -n 90	e Farbe, -n 90	s Mädchen, - 83	e Reise, -n 84
r April 83	r Februar 83	r Mai 83	e Sache, -n 84
r August 83	e Freundin, -nen /	r Maler, - 90	e Schule, -n 87
e Autobahn, -en 88	r Freund, -e 75, 86	r Mann, ¨er 84	r September 83
e Bank, ¨e 89	e Haltestelle, -n 86	r März 83	e Stadt, ¨e 90
r Bericht, -e 89	r Handwerker, - 90	e Möglichkeit, -en 84	r Supermarkt, ¨e 86
r Besuch, -e 82	e Heizung 85	r November 83	s Theater, - 81
e Blume, -n 81, 85	e Jacke, -n 89	r Oktober 83	e Treppe, -n 84
r Boden, ¨ 91	r Januar 83	r Parkplatz, ¨e 88, 89	e Tür, -en 90, 91
r Brief, -e 72, 78	r Juni 83	s Pech 90	r Unfall, ¨e 83, 84
s Büro, -s 82, 86	e Katze, -n 85	e Polizei 89, 91	r Vater, ¨ 83, 85
e Decke, -n 91	r Kindergarten, ¨ 86	e Polizistin, -nen /	e Wand, ¨e 90
r Dezember 83	r Knopf, ¨e 85	r Polizist, -en 84, 89	e Welt 84
s Fahrrad, ¨er 81	s Loch, ¨er 90	e Prüfung, -en 82, 83	r Zettel, - 41, 87, 91

Adjektive

falsch 90	schrecklich 84	still 88

Adverbien

allein 87, 88, 89	diesmal 90	gestern 90, 92	wieder 84, 87, 90
auf einmal 88,89	einfach 88	letzt- 83	wohl 84
außerdem 82	gerade 82	selbstverständlich 85	

Ausdrücke

Besuch haben 83	ein paar 84	nach Hause 86, 90
Bis bald! 90	Grüß dich! 83	verabredet sein 83
da sein 88	Klar! 85	weg sein 88

Grammatik

Perfekt: Partizip bei trennbaren Verbzusätzen (§ 30 und 36)

an	hat angefangen	fern	hat ferngesehen	statt	hat stattgefunden
auf	hat aufgehängt	her	hat hergestellt	um	ist umgezogen
aus	hat ausgegeben	hin	ist hingefallen	vor	hat vorgehabt
ein	hat eingekauft	mit	hat mitgebracht	zu	hat zugehört

Perfekt: Partizip ohne „ge" (§ 30)

be-	z.B.	bekommen	hat bekommen	ver-	z.B. verbieten	hat verboten
		beschreiben	hat beschrieben		vergessen	hat vergessen
		betreiben	hat betrieben		vergleichen	hat verglichen
					verstehen	hat verstanden
ent-	z.B.	entscheiden	hat entschieden			
er-	z.B.	erkennen	hat erkannt		*Verben auf* -ieren	
		erzählen	hat erzählt		z.B. operieren	hat operiert
		erziehen	hat erzogen		passieren	ist passiert

Präteritum: „haben" und „sein"

	ich	du	Sie	er / sie / es	wir	ihr	Sie	sie
haben	hatte	hattest	hatten	hatte	hatten	hattet	hatten	hatten
sein	war	warst	waren	war	waren	wart	waren	waren

Wohin? (§ 2, 16a und 45)

Wohin gehst du? Wohin fährst du?

In den Supermarkt.
In den Kindergarten.
In die Schule.
Ins Büro.
Ins Bett.

Zum Arzt.
Zum Kiosk.
Zur Haltestelle.
Zur Telefonzelle.

Nach Hause.
Nach Lenggries.

Personalpronomen im Akkusativ (§ 11 und 41)

Jens schläft noch. Man muss ihn wecken.
Anna ist müde. Man muss sie ins Bett bringen.
Das Zimmer ist schön. Jemand hat es aufgeräumt.
Die Schuhe sind sauber. Wer hat sie geputzt?

1. Welches Verb passt?

Nach Übung
2
im Kursbuch

a) einen Brief   eine Karte   ein Buch   einen Satz   _____

b) Wasser   Saft   Bier   Kaffee   Tee   _____

c) das Auto   die Wäsche   die Hände   die Füße   _____

d) eine Prüfung   das Essen   einen Ausflug   ein Foto   _____

e) einen Kaffee   das Essen   eine Suppe   Wasser   _____

f) Deutsch   Ski fahren   einen Beruf   kochen   _____

g) Fahrrad   Auto   Ski   _____

h) ins Büro   ins Theater   tanzen   ins Bett   einkaufen   _____

i) Freunde   Jochen   Frau Baier   einen Kollegen   _____

j) Lebensmittel   Obst   im Supermarkt   _____

> einkaufen   fahren
> gehen   treffen
> kochen   lernen
> machen   waschen
> schreiben
> trinken

2. Was hat Familie Tietjen am Sonntag gemacht? Schreiben Sie.

Nach Übung
2
im Kursbuch

a) Frau Tietjen

Am Morgen:	lange schlafen
	duschen
Am Mittag:	das Essen kochen
Am Nachmittag:	Briefe schreiben
	Radio hören
Am Abend:	das Abendessen machen
	die Kinder ins Bett bringen

Am Morgen hat sie lange geschlafen und dann _____

Am Mittag hat sie _____

Am Nachmittag _____

Am _____

b) Herr Tietjen

Am Morgen:	mit den Kindern frühstücken
	Auto waschen
Am Mittag:	das Geschirr spülen
Am Nachmittag:	im Garten arbeiten
	mit dem Nachbarn sprechen
Am Abend:	im Fernsehen einen Film sehen
Um halb elf:	ins Bett gehen

c) Sonja und Ulla

Am Morgen:	im Kinderzimmer spielen
	Bilder malen
Am Mittag:	um halb eins essen
Am Nachmittag:	Freunde treffen
	zu Oma und Opa fahren
Am Abend:	baden
	im Bett lesen

Nach Übung

2

im Kursbuch

3. Ihre Grammatik. Lesen Sie zuerst das Grammatikkapitel 29 auf S. 140 im Kursbuch. Ergänzen Sie dann.

arbeiten   holen   frühstücken   ~~hören~~   weinen   kaufen   schmecken   packen   ~~schwimmen~~
fallen   baden   tanzen   fahren   finden   kochen   kommen   trinken   sehen   warten   spülen
bauen   sein   geben   lernen   leben   lesen   fragen   gehen   spielen   feiern   stehen
duschen   schlafen
schreiben   machen   heiraten   messen   rauchen   waschen   wohnen   ~~treffen~~   bleiben

a)
hat | ge–t (ge–et)
    | *gehört* _____
    | ...

b)
hat | ge–en
    | *getroffen* _____
    | ...

ist | *geschwommen* _____
    | ...

Nach Übung

3

im Kursbuch

4. Der Privatdetektiv Holler hat Herrn Arendt beobachtet und Notizen gemacht.

a)   Ergänzen Sie die Notizen.

anrufen   trinken   bringen
spazieren gehen   sein
~~kommen~~   kaufen   warten
fahren   lesen   sprechen
einkaufen   gehen   parken

Dienstag, 7. Juni

7.30 Uhr	aus dem Haus *gekommen* _____
7.32 Uhr	an einem Kiosk eine Zeitung _____
7.34 – 7.50 Uhr	im Auto _____ und Zeitung _____
7.50 Uhr	zum City-Parkplatz _____
8.05 Uhr	auf dem City-Parkplatz _____
8.10 Uhr	in ein Café _____ und einen Kaffee _____
8.20 Uhr	mit einer Frau _____
bis 9.02 Uhr	im Café _____
bis 9.30 Uhr	im Stadtpark _____
9.30 Uhr	im HL-Supermarkt Lebensmittel _____
9.40 Uhr	Lebensmittel ins Auto _____
9.45 Uhr	in einer Telefonzelle jemanden _____

b) Was hat Herr Arendt gemacht? Schreiben Sie Sätze.

Um 7.30 Uhr ist Herr A. aus dem Haus gekommen. Er ...
Dann ...   _Um 7.50 Uhr ..._

5. Ihre Grammatik. Lesen Sie zuerst das Grammatikkapitel 30 auf S. 140 im Kursbuch. Ergänzen Sie dann.

Nach Übung
4
im Kursbuch

~~bleiben~~	anrufen	~~fernsehen~~	glauben	mitbringen	antworten	klingeln
spazieren gehen	leihen	umziehen	einschlafen	~~sehen~~	aufmachen	kommen
aufräumen	fallen	~~aufstehen~~	~~zuhören~~	suchen	herstellen	wissen	kennen lernen
wegfahren	stattfinden	überlegen	vorbereiten	~~verkaufen~~	weitersuchen	~~hören~~

a)
-ge–t (-ge–et)
hat | _zugehört_
    | ...

ge–t (ge–et)
hat | _gehört_
    | ...

–t (–et)
hat | _verkauft_
    | ...

b)
-ge–en
hat | _ferngesehen_
    | ...

ist | _aufgestanden_
    | ...

ge–en
hat | _gesehen_
    | ...

ist | _geblieben_
    | ...

6. Das Präteritum von „sein" und „haben".

Nach Übung
5
im Kursbuch

a) ● Was ist passiert?
  ■ Ich _____ Pech, ich bin gefallen.
b) ● Warum seid ihr am Dienstag nicht gekommen? Wo _____ ihr?
  ■ Wir _____ zu Hause. Wir _____ Besuch.
c) ● Welchen Beruf _____ dein Großvater?
  ■ Er _____ Bäcker.
d) ● Wie geht es den Kindern?
  ■ Jetzt wieder gut; aber sie _____ beide Grippe und _____ zehn Tage nicht in der Schule.
e) ● Warum sprichst du nicht mehr mit Thomas? _____ ihr Streit?
  ■ Ja!
f) ● Warum hast du so lange nicht angerufen? _____ du keine Zeit oder _____ du im Urlaub?
  ■ Nein, ich _____ einen Unfall und _____ drei Wochen im Krankenhaus.
g) ● Wie war Ihre Reise? _____ Sie keine Probleme?
  ■ Nein, alles _____ in Ordnung.

Nach Übung

5

im Kursbuch

7. Ihre Grammatik. Ergänzen Sie.

	ich	du	er, sie, es, man	wir	ihr	sie, Sie
sein	*war*					
haben	*hatte*					

Nach Übung

6

im Kursbuch

8. Welches Wort passt nicht?

a) ausziehen – Wohnung – wegfahren – mieten – umziehen – kündigen
b) Pech – Krankenhaus – Ärztin – operieren – Medikament – Apotheke
c) Polizist – Chef – Arzt – Bäcker – Kellner – Friseurin
d) wissen – kennen – kennen lernen – lernen – mitnehmen
e) Tür – Fenster – Treppe – Sache – Wand
f) ein paar – wenige – viele – alle – auch
g) überlegen – gewinnen – meinen – glauben
h) grüßen – malen – zeichnen – schreiben
i) Unfall – Fahrrad – Polizist – hinfallen – verabredet sein
j) holen – bringen – fallen – mitnehmen

Nach Übung

6

im Kursbuch

9. Ergänzen Sie.

fotografieren   verstehen   bezahlen   erzählen   sagen

bekommen   operieren

bestellen   verkaufen   besuchen   vergessen

a) ● Hast du selbst _____ ?
   ■ Nein, Ludwig hat die Fotos gemacht.
b) ● Haben Sie schon _____ ?
   ■ Nein! Ich möchte bitte ein Hähnchen mit Salat.
c) ● Warum gehst du zu Fuß? Hast du dein Auto _____?
   ■ Nein, es ist kaputt.
d) ● Haben Sie meinen Brief schon _____?
   ■ Nein, noch nicht.
e) ● Wo wart ihr?
   ■ Im Krankenhaus. Wir haben Thomas _____. Man hat ihn _____.
f) Was haben Sie _____? Ich habe Sie nicht _____. Es ist so laut hier.
g) ● Hast du die Rechnung schon _____?
   ■ Nein, das habe ich _____. Entschuldigung!
h) ● Woher weißt du das?
   ■ Regina hat das _____.

10. Bilden Sie Sätze.

Nach Übung

9

im Kursbuch

Bring das Fahrrad bitte in die Garage.

Tu den Mantel bitte in den Schrank.

a) Pullover → Kommode
b) Bücher → Regal
c) Geschirr → Küche
d) Fußball → Kinderzimmer
e) Geschirr → Spülmaschine
f) Flaschen → Keller
g) Film → Kamera
h) Papier → Schreibtisch
i) Butter → Kühlschrank
j) Wäsche → Waschmaschine
k) Kissen → Wohnzimmer

GRAMMATIK s. 145 -146

11. Wo ist …? Schreiben Sie.

Nach Übung

9

im Kursbuch

a) ● Wo ist mein Mantel? (Schrank) ▪ *Im Schrank.* _____
b) ● Wo ist mein Fußball? (Garten) ▪ _____
c) ● Wo ist mein Pullover? (Kommode) ▪ _____
d) ● Wo sind meine Bücher? (Regal) ▪ _____
e) ● Wo ist mein Briefpapier? (Schreibtisch) ▪ _____
f) ● Wo sind meine Schuhe? (Flur) ▪ _____
g) ● Wo ist mein Koffer? (Keller) ▪ _____

12. „In" + Akkusativ oder „in" + Dativ? Ergänzen Sie.

Nach Übung

9

im Kursbuch

„in dem" = „im", „in das" = „ins"

a) *in der* Bibliothek | arbeiten
_____ Krankenhaus
_____ Kindergarten

b) _____ Wohnung | bleiben
_____ Garten
_____ Zimmer

c) _____ Garage | fahren
_____ Parkhaus
_____ Stadt

d) _____ Kinderzimmer | spielen
_____ Garten
_____ Wohnung

e) _____ Stadt | spielen
_____ Park
_____ Wald

f) _____ Diskothek | tanzen
_____ Wohnzimmer
_____ Garten

g) _____ Tasse | gießen *pour*
_____ Flasche
_____ Glas

h) _____ Telefonzelle | telefonieren
_____ Hotel
_____ Auto

i) _____ Schlafzimmer | bringen
_____ Keller
_____ Küche

j) _____ Koffer | tun
_____ Tasche
_____ Regal

13. Ergänzen Sie.

a) Pullover : waschen / Schuhe : _____

b) Spülmaschine : abstellen / Licht : _____

c) Kopf : Mütze / Füße : _____

d) spielen : Kindergarten / lernen : _____

e) Katze : füttern / Blume : _____

f) Geld : leihen / Wohnung : _____

g) abends : ins Bett bringen / morgens : _____

h) aus : abstellen / an : _____

i) schreiben : Brief / anrufen : _____

j) fantastisch : gut / schrecklich : _____

14. „Ihn", „sie" oder „es"? Was passt?

a) ● Ist Herr Stoffers wieder zu Hause?

▪ Ja, ich habe _____ gestern gesehen.

b) ● Ist der Hund von Frau Wolters wieder gesund?

▪ Nein, sie bringt _____ morgen zum Tierarzt.

c) ● Ist Frau Zenz immer noch im Krankenhaus?

▪ Nein, ihre Schwester hat _____ gestern nach Hause gebracht.

d) ● Ist die Katze von Herrn Wilkens wieder da?

▪ Ich glaube nein. Ich habe _____ lange nicht gesehen.

e) ● Hat Frau Wolf ihr Baby schon bekommen?

▪ Ja, ich habe _____ schon gesehen.

f) ● Wie geht es Dieter und Susanne?

▪ Gut. Ich habe _____ Freitag angerufen.

g) ● Kann Frau Engel morgen wieder arbeiten?

▪ Ich weiß es nicht.

● Gut, dann rufe ich _____ heute mal an und frage _____.

15. Was soll Herr Winter machen? Was sagt seine Frau? Schreiben Sie.

a) jede Woche das Bad putzen

Vergiss bitte das Bad nicht.

Du musst es jede Woche putzen.

b) jeden Abend die Küche aufräumen

c) jeden Morgen den Hund füttern

d) jede Woche die Blumen gießen

e) unbedingt den Brief von Frau Berger beantworten

f) jeden Abend das Geschirr spülen

g) unbedingt die Hausaufgaben kontrollieren

h) meinen Pullover heute noch waschen

i) meine Krankenversicherungskarte zu Dr. Simon bringen

j) abends den Fernsehapparat abstellen

16. Hast du das schon gemacht? Ergänzen Sie die Verben.

Nach Übung
10
im Kursbuch

– Wäsche waschen
– Koffer packen
– Geld holen
– Filme kaufen
– Wohnung aufräumen
– machen
– Hund zu Frau Bloch bringen
– zur Apotheke fahren, Reisetabletten kaufen
– mit Tante Ute sprechen, Katze hinbringen
– Auto aus der Werkstatt holen – nicht vergessen!

● _____ du die Wäsche _____?
■ Ja. Ich _____ auch schon den Koffer _____. Und du? _____ du Geld
_____ ?
● Natürlich, und ich _____ Filme _____ und die Wohnung
_____. Und was _hast_ du noch _gemacht_ ?
■ Ich _____ den Hund zu Frau Bloch _____. Und ich _bin_ zur
Apotheke _gefahren_ und _____ Reisetabletten _____. –
_____ du schon mit Tante Ute _____ ?
● Ja, sie nimmt die Katze. Ich _____ sie schon _____. – _____ du das
Auto aus der Werkstatt _____ ?
■ Entschuldige, aber das _____ ich ganz _____ .
● Na gut, dann fahren wir eben morgen.

17. Was passt zusammen?

Nach Übung
13
im Kursbuch

sitzen   – aufwachen   weggehen   parken   – anstellen

– weiterfahren   rufen   – zurückkommen

– aufhören   – aussteigen   – weg sein   – abholen   – suchen

a) einschlafen – _aufwachen_
b) da sein – _weg sein_
c) stehen – _sitzen_
d) weggehen – _zurückkommen_
e) hören – _____
f) fahren – _____
g) abstellen – _anstellen_
h) bringen – _abholen_
i) wiederkommen – _rufen weggehen_
j) anfangen – _aufhören_
k) halten – _weiterfahren_
l) finden – _suchen_
m) einsteigen – _aussteigen_

LEKTION 7

Nach Übung

15

im Kursbuch

18. Ordnen Sie die Wörter.

a) ☐ gleich   ☐ sofort   ☐ jetzt   ☐ später   ☐ bald

b) ☐ um 11.00 Uhr   ☐ gegen 11.00 Uhr   ☐ nach 11.00 Uhr

c) ☐ gestern früh   ☐ heute Mittag   ☐ gestern Abend   ☐ heute Morgen
☐ morgen Nachmittag   ☐ morgen Abend   ☐ morgen früh

d) ☐ später   ☐ dann   ☐ zuerst   ☐ danach

e) ☐ immer   ☐ nie   ☐ oft   ☐ manchmal

f) ☐ viel   ☐ alles   ☐ etwas   ☐ ein bisschen

Nach Übung

15

im Kursbuch

19. „Schon", „noch", „noch nicht", „nicht mehr", „erst"? Was passt?

a) Telefon habe ich _____ . Das bekomme ich _____ in vier
Wochen.

b) Sie wohnt _____ in der Mozartstraße, sie ist schon umgezogen. Sie wohnt jetzt
in der Eifelstraße.

c) Ich war sehr müde, aber ich bin _____ um ein Uhr nachts eingeschlafen.

d) ● Es ist schon spät, wir müssen gehen.   ■ Ja, ich weiß. Ich muss _____
die Waschmaschine abstellen, dann komme ich.

e) Ich habe _____ fünfmal angerufen, aber es war niemand zu Hause.

f) Sie ist 82 Jahre alt, aber sie fährt _____ Auto.

g) Mathias ist _____ drei Jahre alt, aber er kann _____ schwimmen.

h) ● Möchtest du eine Zigarette?   ■ Nein, danke! Seit vier Wochen rauche ich
_____ .

i) Die Spülmaschine funktioniert _____ , sie ist kaputt.

Nach Übung

15

im Kursbuch

20. Was passt wo?

Herzliche Grüße   Auf Wiedersehen   Liebe Grüße   Guten Morgen   Lieber Herr Heick   Guten Abend   Tschüs   Hallo Bernd   Guten Tag   Lieber Christian   Sehr geehrte Frau Wenzel

a) Was schreibt man?

_____

b) Was sagt man?

_____

Wortschatz

Verben

besorgen 96
einzahlen 95
erledigen 96
existieren 102
fehlen 103

fliegen 100
kaufen 15, 96
legen 100
reinigen 95
reparieren 95

schicken 96
stehen 99
stellen 100
übernachten 95
verwenden 96

wechseln 95
ziehen 103
zurückgeben 96

Nomen

e Abfahrt 98
s Auskunft, ¨e 101
e Bäckerei, -en 93
e Bahn, -en 96, 101
e Briefmarke, -n 95
e Buchhandlung, -en
    93, 94
r Bürger, - 102
r Bus, -se 101
s Ding, -e 96
e Ecke, -n 97
e / r Erwachsene, -n
    (ein Erwachsener)
    98
(s) Europa 101
e Fahrkarte, -n 95,
    96, 101

r Fahrplan, ¨e 101
e Fahrt, -en 99
e Fantasie 103
r Flughafen, ¨ 101
s Flugzeug, -e 101
e Freiheit, -en 103
s Gebäude, - 98, 102
s Interesse, -n 103
r Journalist, -en 102
e / r Jugendliche, -n
    (ein Jugendlicher)
    102
e Kirche, -n 94
e Kleidung 95
r Krieg, -e 102
r Künstler, - 102
r Mantel, ¨ 96, 100

e Mauer, -n 98, 102
e Metzgerei, -en 93
e Mitte 101
s Museum, Museen
    94, 102
r Norden 101
e Oper, -n 102
r Osten 101
s Paket, -e 96
r Park, -s 94
r Pass, ¨e 95
r Platz, ¨e 94, 98
e Post 93, 94
s Rathaus, ¨er 94
e Reinigung, -en 93,
    94
r Rest, -e 98

r Schalter, - 101
r See, -n 103
r Soldat, -en 102
r Stadtplan, ¨e 97
r Süden 101
e Tasche, -n 100
r Teil, -e 98, 102
s Tor, -e 98, 99, 102
r Turm, ¨e 98, 101
e Universität, -en
    102, 103
e Wahl, -en 101
r Weg, -e 97, 101
r Westen 101
s Zentrum, Zentren
    101, 102

Adjektive

arbeitslos 103
berühmt 102

bunt 103
deutsch 102

früher 103
grau 103

sozial 103
voll 103

Adverbien

anders 103
geradeaus 97

links 97
rechts 97

völlig 102
weiter 97

Funktionswörter

bis zu 97
so … wie … 103

über … nach … 101
von … nach … 101

Ausdruck

zum Schluss 99

Grammatik

Präpositionen (§ 15 bis 18)

		Maskulinum	*Femininum*	*Neutrum*
an	Wo? Wohin	am Turm an den Turm	an der Tür an die Tür	am Fenster ans Fenster
auf	Wo? Wohin?	auf dem Bahnhof auf den Bahnhof	auf der Straße auf die Straße	auf dem Rathaus auf das Rathaus
aus	Woher?	aus dem Garten	aus der Schweiz	aus dem Haus
bei	Wo?	beim Arzt	bei der Arbeit	beim Essen
für	Wofür?	für den Flur	für die Küche	für das Zimmer
gegen	Wogegen?	gegen den Durchfall	gegen die Erkältung	gegen das Fieber
hinter	Wo? Wohin?	hinter dem Park hinter den Park	hinter der Kirche hinter die Kirche	hinter dem Tor hinter das Tor
in	Wo? Wohin?	im Stadtpark in den Stadtpark	in der Apotheke in die Apotheke	im Kino ins Kino
mit	Mit wem?	mit dem Freund	mit der Freundin	mit dem Kind
nach	Wann?	nach dem Krieg	nach der Arbeit	nach dem Essen
neben	Wo? Wohin?	neben dem Supermarkt neben den Supermarkt	neben der Post neben die Post	neben dem Kino neben das Kino
ohne	Ohne wen?	ohne den Freund	ohne die Freundin	ohne das Kind
seit	Seit wann?	seit dem Besuch	seit der Reise	seit dem Gespräch
über	Wo? Wohin?	über dem Platz über den Platz	über der Stadt über die Stadt	über dem Haus über das Haus
unter	Wo? Wohin?	unter dem Turm unter den Turm	unter der Bank unter die Bank	unter dem Dach unter das Dach
von	Von wem?	vom Arzt	von der Ärztin	vom Kind
vor	Wo? Wohin?	vor dem Tisch vor den Tisch	vor der Kirche vor die Kirche	vor dem Tor vor das Tor
zu	Wohin?	zum Arzt	zur Schule	zum Fenster
zwischen	Wo? Wohin?	zwischen dem Schrank und der Kommode zwischen der Kommode und dem Regal zwischen den Schrank und die Kommode zwischen die Lampe und das Regal		

1. Lesen Sie und ergänzen Sie.

Nach Übung

2

im Kursbuch

a) *Paul trägt die Koffer nicht selbst.*

Er lässt die Koffer tragen.

b) Paul: die Dusche reparieren

Paul repariert die ...
Er lässt ...

c) Paul: das Auto in die Garage fahren
d) ich: den Kaffee machen
e) er: den Brief beantworten
f) ihr: den Koffer am Bahnhof abholen
g) Sie: die Wäsche waschen
h) ich: die Hausarbeiten machen

i) Paula: die Wohnung putzen
j) du: den Schreibtisch aufräumen
k) ich: das Essen und die Getränke bestellen
l) Paul und Paula: das Frühstück machen

2. Was passt zusammen?

Nach Übung

3

im Kursbuch

Sie möchten ...

a) Geld wechseln

b) das Auto reparieren lassen

c) Deutsch lernen

d) Briefmarken kaufen

e) eine Fahrkarte kaufen

f) einen Film sehen

g) Informationen bekommen

h) einen Tee trinken

i) schwimmen

j) Fleisch kaufen

k) Salat und Gemüse kaufen

l) Bücher leihen

Wohin gehen Sie dann?

auf die Commerzbank

Ufa-Kino   Post

Metzgerei Koch

Parkcafé

Schwimmbad

VW-Werkstatt

~~Commerzbank~~

Bibliothek   Bahnhof

Supermarkt König

Tourist-Information

Sprachschule Berger

HAUSAUFGABE
7/11

3. Schreiben Sie.

In der Stadt hin und her. Heute hat Paul viel erledigt.

a) 08:30

Um halb neun ist er von zu Hause weggefahren.

b) BANK 09:00

Zuerst ist er zur Bank gefahren.
Um neun Uhr war er ...

c) BAHN 09:30

Dann ist er zum ...

f) Reinigung 11:00

e) 10:30

d) Bücherei 10:00

g) 11:30

h) 12:00

i) Reisebüro 14:30

l) 16:30

k) Telephon 16:00

j) POST 15:00

4. Was erzählt Paul? Schreiben Sie.

a) _Um halb neun bin ich von zu Hause_
   weggefahren.
b) _Zuerst bin ich zur Bank gefahren._
   Um 9 Uhr war ich ...
c) _Dann bin ich ..._

d) _Dann ..._

e) ...

Nach Übung

6

im Kursbuch

18:30

5. Schreiben Sie.

Nach Übung

6

im Kursbuch

a) ● Wo kann man hier gut essen?
   ■ Im Restaurant Adler, das ist am
     Marktplatz.
b) ● Wo kann man hier Deutsch lernen?
   ■ In der Sprachschule Berger, die ist in
     der Schlossstraße.

c) Kuchen – Markt-Café – Marktplatz
d) Gemüse – Supermarkt König – Obernstraße
e) parken – City-Parkplatz – Schlossstraße
f) übernachten – Bahnhofshotel –
   Bahnhofstraße

g) essen – Schloss-Restaurant – Wapel
h) Tee – Parkcafé – Parksee
i) schwimmen – Schwimmbad –
   Bahnhofstraße
j) Bücher – Bücherei – Kantstraße

6. Schreiben Sie.

a) Bahnhof /← / Schillerstraße
   Am Bahnhof links in die schillerstraße.

b) Marktplatz /→ / Stadtmuseum
   Am Marktplatz rechts bis zum stadtmuseum.

Nach Übung

9

im Kursbuch

Am Bahnhof links
in die Schillerstraße.

c) Volksbank /→ / Telefonzelle
d) Restaurant /← / Maxplatz
e) Diskothek /← / Parkplätze
f) Stadtcafé / → / Haltestelle

g) Buchhandlung /← / Rathaus
h) Telefonzelle / → / Berner Straße
i) Fotostudio / → / Lindenweg
j) Stadtpark / geradeaus / Spielwiesen

Nach Übung

9

im Kursbuch

7. Ergänzen Sie „in", „an", „neben" oder „zwischen"; „der", „das", „die"; „ein" oder „eine".

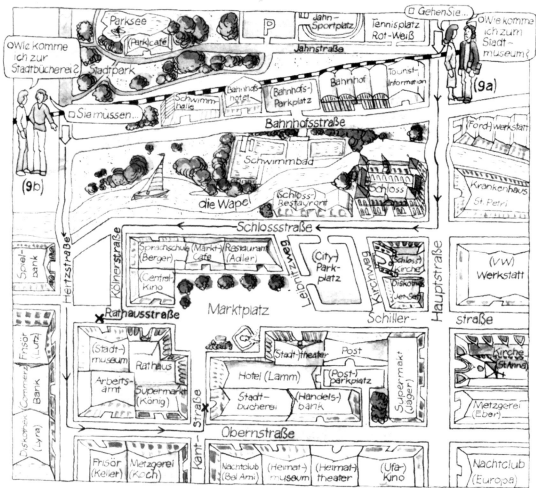

Wo liegt was? Beschreiben Sie den Stadtplan.

a) _Der_____ Postparkplatz liegt _neben_____ _einem_____ Supermarkt.

b) _Neben_____ _dem_____ Supermarkt Jäger liegt ein Parkplatz.

c) _____ Schloss ist _____ Restaurant.

d) _Das_____ Markt-Café liegt _neben_____ _dem_____ Restaurant.

e) _Das_____ Schwimmbad liegt _hinter_____ _die_____ Wapel.

f) _Zwischen_____ Sprachschule Berger und _dem_____ Restaurant Adler ist _ein_____ Café, _das_____ Markt-Café.

g) _____ Schloss ist _____ Schloss-Restaurant.

h) _____ Tourist-Information ist _neben_____ _dem_____ Bahnhofstraße, _____ Bahnhof.

i) _____ Parkcafé liegt _____ Parksee.

j) _Der_____ Jahn-Sportplatz liegt _zwischen_____ _____ Tennisplatz Rot-Weiß und _____ Parkplatz.

8. Lesen Sie und ergänzen Sie.

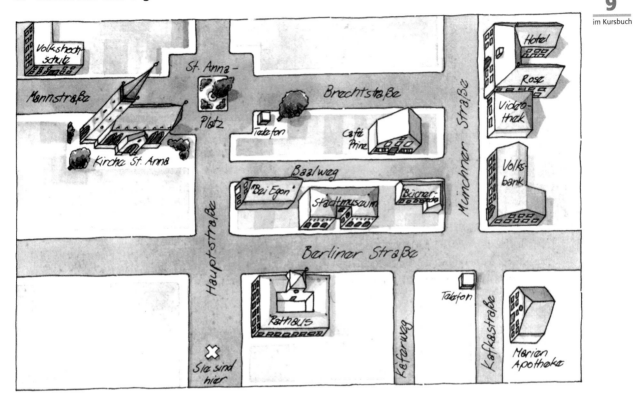

a) ● Wie komme ich zur Volkshochschule?
   ■ Zuerst hier geradeaus bis zum _St. Anna-Platz_ . Dort an
      der _____ vorbei in die _____ .
      Dort ist dann rechts die _____ .

   > St.-Anna-Kirche
   > Volkshochschule
   > Mannstraße
   > ~~St.-Anna-Platz~~

b) ● Wie komme ich zur „Bücherecke"?
   ■ Zuerst hier geradeaus bis zur _____ , dort rechts.
      Am _____ vorbei und dann links in die
      _____ . Da sehen Sie dann links den
      _____ , und da an der Ecke liegt auch die
      _____ .

   > Baalweg
   >   „Bücherecke"
   > Berliner Straße
   >   Stadtmuseum
   > Münchner Straße

c) ● Wie komme ich zur Videothek?
   ■ Hier die _____ entlang bis zum
      _____ . Dort bei der _____ rechts
      in die _____ . Gehen Sie die _____
      entlang bis zur _____ . Dort sehen Sie dann die
      _____ . Sie liegt direkt neben dem
      _____ .

   > Brechtstraße
   > Münchner Straße
   > Videothek
   >   Telefonzelle
   > St.-Anna-Platz
   >   Brechtstraße
   > Hotel Rose
   >   Hauptstraße

d) zur Marien-Apotheke?   f) zum Café Prinz?
e) zum Stadtmuseum?   g) zur nächsten Telefonzelle?

Nach Übung

9

im Kursbuch

9. Lesen Sie den Stadtplan auf S. 92 und ergänzen Sie.

a) ● Wie komme ich _zum_ Stadtmuseum?

■ Gehen Sie hier die Hauptstraße geradeaus bis _____ Schloss. Dort _____ Schloss rechts, dann immer geradeaus. _____ Parkplatz vorbei bis _____ Kölner Straße. Dort _____ _____ Sprachschule links. Dann die Kölner Straße geradeaus bis _____ Rathausstraße. Dort rechts. Das Stadtmuseum ist _____ _____ Rathaus.

b) ● Wie komme ich _____ Stadtbücherei?

■ Sie müssen hier die Hertzstraße geradeaus gehen, _____ _____ Wapel, _____ _____ Spielbank und _____ _____ Commerzbank vorbei, bis _____ Diskothek …

c) ● Wie komme ich vom Bahnhof zum Hotel Lamm?

Nach Übung

10

im Kursbuch

10. Schreiben Sie einen Text. Benutzen Sie die Wörter rechts.

Eine Stadtrundfahrt in Berlin

Sätze	
– Pünktlich um 14 Uhr hat Frau Kasulke uns begrüßt.	–
– Frau Kasulke hat uns etwas über das alte Berlin erzählt.	Zuerst … sie …
– Wir sind zum Platz der Republik gefahren.	Danach
– Am Platz der Republik kann man das Reichstagsgebäude sehen.	Da
– Das Reichstagsgebäude ist über 200 Jahre alt.	Es
Die Glaskuppel ist neu.	aber
– Wir sind zum Brandenburger Tor gefahren.	Dann
– Am Brandenburger Tor beginnt die Straße „Unter den Linden".	Dort
– Wir haben die Staatsoper und die Humboldt-Universität gesehen.	–
– Wir sind zum Alexanderplatz gekommen.	Dann
– Am Alexanderplatz haben wir eine Pause gemacht.	Dort
– Wir sind weitergefahren.	Nach einer Stunde
– Wir haben die Berliner Mauer gesehen.	Dann … endlich …
– Die Mauer hat Berlin in zwei Teile geteilt.	Bis 1989 … sie …
– Die Mauer war 46 km lang.	Sie
– Wir sind zum Potsdamer Platz gefahren.	Dann
– Am Potsdamer Platz sind alle Gebäude neu.	Dort
– Leider war die Stadtrundfahrt schon zu Ende.	Da

Pünktlich um 14 Uhr hat Frau Kasulke uns begrüßt.
Zuerst hat sie uns etwas …

11. Schreiben Sie.

Nach Übung
11
im Kursbuch

Bernd sucht seine Brille. Wo ist sie?

a) _Vor dem Radio_

b) _auf dem Regal_

c) _auf dem Schrank_

d) _hinter dem Schrank_

neben (o.) dem Topf
e) _auf dem Herd_

f) _unter der Zeitung_

g) _hinter der Vase_

h) _im Bett_

i) _auf der Nase_

Nach Übung

11

im Kursbuch

12. Wer wohnt wo? Schreiben Sie.

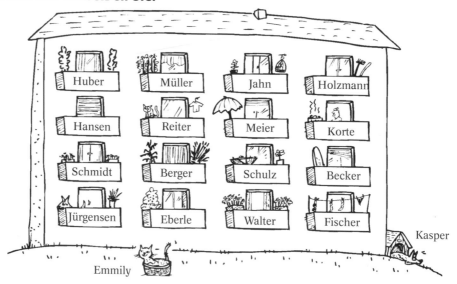

a) Wer wohnt neben Familie Reiter, aber nicht unter Familie Huber? _Familie Meier._
b) Wer wohnt hinter dem Haus? _Kasper   der Hund_
c) Wer wohnt neben Familie Meier, aber nicht über Familie Becker? _Familie Reiter_
d) Wer wohnt neben Familie Reiter, aber nicht über Familie Schulz? _Familie Hansen_
e) Wer wohnt vor dem Haus? _Emmily   die Katze_
f) Wer wohnt neben Familie Schulz, aber nicht unter Familie Korte? _Familie Berger_
g) Wer wohnt zwischen Familie Holzmann und Familie Huber, aber nicht über Familie Meier?
Familie Müller
h) Wer wohnt neben Familie Berger, aber nicht über Familie Walter? _Familie Schmidt_
i) Wer wohnt zwischen Familie Becker und Familie Berger? _Familie Schulz_

Nach Übung

11

im Kursbuch

13. Was stimmt hier nicht? Schreiben Sie.

Auf der Couch liegt ein Teller. Neben der Couch liegt eine Toillet
Vor der Tür ...

der die das die
den die das die
dem der dem den

14. Schreiben Sie.

Wohin stellen wir den Fernseher?

Am besten auf den Tisch.

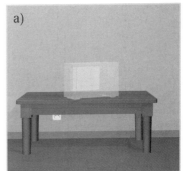
a)

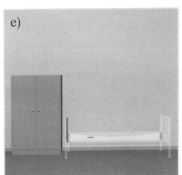
b)

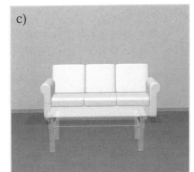
c)

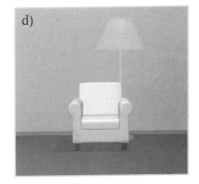
d)

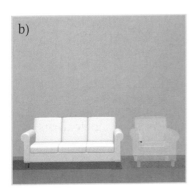
e)

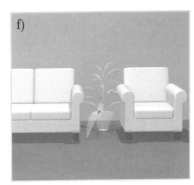
f)

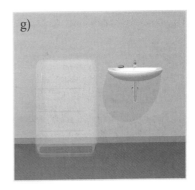
g)

a)	●	Wohin stellen wir		den Fernseher?	■ Am besten	*auf den Tisch.*
b)		der	_den_	Sessel?		neben das Sofa
c)		der	_den_	Tisch?		vor das Sofa
d)		die	_die_	Lampe?		hinter den Sessel
e)		das	_das_	Bett?		neben den Schrank
f)		die	_die_	Blume?		zwischen das Sofa und den
g)		der	_den_	Kühlschrank?		neben den Ausguß

die Couch

Sessel

das Waschbecken

15. Ihre Grammatik. Ergänzen Sie.

	wo (sein)? *Dativ*		wohin (tun) *Akkusativ*	
der	unter	_____ Tisch	unter	_____ Tisch
das	(in _____)	_____ Waschbecken	(in _____)	_____ Waschbecken
die	vor	_____ Tür	vor	_____ Tür
die	zwischen	_____ Zeitungen	zwischen	_____ Zeitungen

16. Ergänzen Sie die Präpositionen.

Wann kommen Sie nach Berlin?

Seit 1990 ist Berlin wieder ein Zentrum (a) _____ der Mitte Europas. Man kann wieder
(b) _____ vielen Wegen (c) _____ Berlin kommen.
(d) _____ dem Flugzeug: Es gibt Flugverbindungen (e) _____ fast alle europäischen
Großstädte und (f) _____ viele andere Länder. Täglich landen Flugzeuge (g) _____ aller
Welt (h) _____ den Berliner Flughäfen.

(i) _____ vielen Städten in Deutschland fahren täglich Busse (j) _____ Funkturm
und (k) _____ anderen Plätzen Berlins. Informationen bekommen Sie (l) _____
Reisebüros.

Bequem ist es (m) _____ der Bahn: Die Züge fahren direkt (n) _____ die Innenstadt.

Autofahrer kommen (o) _____ den Autobahnen schnell (p) _____ Berlin.

Wann fahren Sie mal (q) _____ Berlin, (r) _____ Brandenburger Tor, (s) _____
Mauer oder raus (t) _____ den Wannsee? Seien Sie unser Gast in Berlin!

17. Was passt nicht?

a) Erwachsene – Jugendliche – Menschen – Kinder
b) Buslinie – Zugverbindung – Autobahn – Flugverbindung
c) Gebäude – Immobilien – Haushalt – Häuser
d) Flughafen – Bahn – Bahnhof – Haltestelle
e) Staatsoper – Alexanderplatz – Brandenburger Tor – Museen
f) Buchhandlung – Bibliothek – Bücherei – Verbindung
g) Park – Straße – Nummer – Platz – Weg
h) Aufzug – Ausflug – Reisegruppe – Urlaub
i) Norden – Süden – Osten – Wiesen

18. Ergänzen Sie Präpositionen und Artikel.

wo?,o. wohin?

a) (von) _vom_ Bahnhof abholen
b) (an) _am_ St.-Anna-Platz aussteigen
c) (in) _im_ See baden
d) (in) _in der_ Bäckerei Brot kaufen
e) (an) _am_ Marienplatz einsteigen
f) (auf) _auf der_ Bank Geld einzahlen
g) (nach) _nach_ Paris fliegen
h) (auf) _auf die_ Straße hinfallen
i) (in) _in das_ Regal legen
j) (neben) _neben die_ Kirche parken
k) (nach) _nach zu_ Hause schicken _die_

l) (vor) _vor das dem_ Haus sitzen
m) (auf) _auf den_ Sportplatz spielen
n) (hinter) _hinter dem_ Denkmal stehen
o) (in) _in der_ Pension Mai übernachten
p) (in) _in die den_ Schrank stellen _a._
q) (unter) _unter dem_ Brandenburger Tor verabredet sein
r) (in) _in der_ Stadt wohnen _d._
s) (von) _von zu_ Hause wegfahren
t) (zwischen) _die_ Post und _der_ _dem_ Parkplatz liegen

19. Ihre Grammatik. Ergänzen Sie.

a) Berlin liegt an der Spree.

b) Wie kommt man schnell nach Berlin?

c) Nach Berlin kann man auch mit dem Zug fahren.

d) Wir treffen uns um zehn an der Staatsoper.

e) Der Fernsehturm steht am Alexanderplatz.

f) Er hat das Bett wirklich in den Flur gestellt.

g) Du kannst den Mantel ruhig auf den Stuhl legen.

h) Zum Schluss hat er die Sätze an die Wand geschrieben.

i) Der Bär sitzt unter dem Fernsehturm.

	Vorfeld	Verb$_1$	Subj.	Angabe	Ergänzung	Verb$_2$
a)	Berlin	liegt			an der Spree.	
b)						
c)						
d)						
e)						
f)						
g)						
h)						
i)						

LEKTION 8

20. Silbenrätsel. Bilden Sie Wörter.

fahrt	Auto	Bahn	fahrt	platz	Park	Auto	stätte	Rast
Bahn	Zug	hof		Flug	hafen	steigen		um
Inter	city	bahn	fahrt	Eisen	bahn		verbindungen	

a) Bahn
_____
...

b) Auto
_____
...

c) Flugzeug
_____
...

21. Schreiben Sie einen Brief.

A. Ergänzen Sie.

Berlin, den 9. November

Liebe Stefanie,

wir wohnen jetzt schon ein Jahr (a) _____ Berlin. Man lebt
hier wirklich viel besser als (b) _____ Köln. Komm doch
mal (c) _____ Berlin. Hier kann man viel machen:
(d) _____ Restaurant „Mutter Hoppe" gehen und echt
berlinerisch essen, (e) _____ Diskothek „Metropol" bis zum
frühen Morgen tanzen, (f) _____ _____ vielen
Parks und (g) _____ Zoologischen Garten spazieren
gehen, (h) _____ Müggelsee baden und (i) _____
_____ Havel segeln. Abends geht's natürlich
(j) _____ Kino, (k) _____ Theater oder
(l) _____ einen Jazzclub. (m) _____ den
Geschäften (n) _____ der Friedrichstraße und
(o) _____ KaDeWe (Kaufhaus des Westens) kann man gut
einkaufen und natürlich auch Leute anschauen. Am Wochenende
fahren wir oft mit der S-Bahn (p) _____ Zehlendorf
(q) _____ _____ Wannsee. Dort kann man
(r) _____ See schwimmen oder faul (s) _____
_____ Sonne liegen. Manchmal machen wir
(t) _____ Grunewald auch einen Spaziergang oder
eine Radtour.

Vielleicht können wir das einmal zusammen machen. Komm also bald
mal (v) _____ Berlin!

Herzliche Grüße

Sandra und Holger

B. Schreiben Sie jetzt
selbst einen Brief.

Ort und Datum:
München, ...

Anrede:
Lieber / Liebe ...

Informationen:
– 2 Jahre München –
das Restaurant „Weißblaue
Rose", echt bayrisch –
das „Rationaltheater",
Kabarettprogramme –
im Englischen Garten,
spazieren gehen, Rad
fahren – die Kaufinger-
straße, einkaufen –
Olympiazentrum, selbst
Sport treiben oder ein
Fußballspiel anschauen –
Starnberger See, segeln,
schwimmen, surfen,
baden

Schlusssatz:
...

Gruß:
Bis bald, und liebe Grüße
dein / deine ...

Wortschatz

Verben

beraten 108
einschalten 112
erklären 107
freuen 105
gebrauchen 113

gefallen 114
laufen 110
lieben 107, 114
nennen 114
passen 107, 113

reichen 114
schenken 105, 107, 108
sterben 114
tragen 106

verkaufen 15, 110
verlassen 116
zeigen 68, 107, 111
zusammengehören 113

Nomen

r Abschnitt, -e 113
e / r Bekannte, -n (ein Bekannter) 109
e Beschäftigung, -en 114
s Camping 106, 108
e CD, -s 106
e Chance, -n 114
r Computer, - 106
e Datei, -en 112
r Discman 106
e Erinnerung, -en 112
e Feier, -n 109
r Fernseher, - 112

s Feuerzeug, -e 106
r Führerschein, -e 109
r Geburtstag, -e 18, 107
s Gerät, -e 112
e Handtasche, -n 113
e Hilfe 110
s Holz 110
s Huhn, ¨er 114
r Hund, -e 106, 114
e Information, -en 67, 112
e Ingenieurin, -nen / r Ingenieur, -e 14, 108

r Junge, -n 107
e Kette, -n 105, 106, 107
s Klima 114
r König, -e 110
e Kuh, ¨e 114
r Kunde, -n 112, 114
Möbel (*Plural*) 110
s Motorrad, ¨er 115
e Party, -s 105, 108
e Pfeife, -n 105, 106
s Pferd, -e 114
s Rad, ¨er 107
r Reiseführer, - 106, 111

r Ring, -e 105, 106
r Schlafsack, ¨e 106
r Schluss 114
r Schmuck 106
r Strom 113
e Tante, -n 114
s Tier, -e 114
e Verkäuferin, -nen / r Verkäufer, - 107
(s) Weihnachten 105
s Werkzeug, -e 106
s Wörterbuch, ¨er 106
r Wunsch, ¨e 110
s Zelt, -e 106

Adjektive

breit 110
dünn 110
kurz 110

lang 110
langsam 110
lebendig 112

niedrig 110
richtig 113
schmal 110

schnell 110
wunderbar 110

Adverb

irgendwann 114

Funktionswörter

deshalb 107, 114
selber 106, 116

Ausdruck

zu Ende 108

Grammatik

Definiter Artikel und Nomen im Dativ (§ 3)

Maskulinum	*Singular:*	dem Stuhl	*Plural:* den	Stühlen
Femininum		der Lampe		Lampen
Neutrum		dem Klavier		Klavieren

Indefiniter Artikel, Possessivartikel, Negation im Dativ (§ 3 und 6)

	Indefiniter Artikel	*Possessivartikel*		*Negation*	
Singular:	einem Stuhl	meinem / seinem deinem / Ihrem	Stuhl	keinem	Stuhl
	einer Lampe	meiner / seiner deiner / Ihrer	Lampe	keiner	Lampe
	einem Regal	meinem / seinem deinem / Ihrem	Regal	keinem	Regal
Plural:	Stühlen Lampen Regalen	meinen / seinen deinen / Ihren	Stühlen Lampen Regalen	keinen	Stühlen Lampen Regalen

Personalpronomen im Dativ (§ 11)

ich	Bitte helfen Sie mir.		wir	Herr Abt, Sie müssen uns helfen.
du	Ich kann dir das erklären.		ihr	Gehört der Hund euch?
Sie	Ich kann Ihnen das erklären.		Sie	Gehört der Hund Ihnen?
er / es	Das Essen schmeckt ihm nicht.		sie	Zeigst du ihnen ihre Zimmer?
sie	Hast du ihr schon geantwortet?			

Verben mit Dativergänzung (§ 3, 11, 38 und 42)

Nur Dativergänzung:	antworten fehlen gehören helfen schmecken	Was soll ich dem Kunden antworten? Was fehlt dir denn? Gehört dieser Discman einem Schüler? Kannst du der Frau dort helfen? Hoffentlich schmeckt der Kuchen den Kindern.
Dativergänzung und Akkusativergänzung:	geben schenken zeigen erklären	Komm, ich gebe dir ein Buch. Was kann man einem Mädchen schenken? Zeigen Sie dem Herrn da die Firma, bitte. Können Sie mir diesen Ausdruck erklären?

Nach Übung

1

im Kursbuch

1. Was passt nicht? Ergänzen Sie die Wörter.

~~Tiere~~	~~Schmuck~~	~~Sport / Freizeit~~	~~Sprachen~~	~~Möbel~~
~~Gesundheit~~	~~Haushaltsgeräte~~	Haushalt	~~Bücher~~	~~Musik~~ ~~Reise~~

a) Discman – Radio – ~~Mikrowelle~~ – DVD-Player: _Musik_
b) Elektroherd – Mikrowelle – Waschmaschine – ~~Waschbecke~~n: _Haushaltsgeräte_
c) Schlafsack – ~~Halskette~~ – Reiseführer – Hotel – Zelt: _Reise_
d) ~~Geschirr spülen~~ – Rad fahren – Tennis – Fußball: _Sport_
e) Sprechstunde – ~~Pause~~ – Medikament – Arzt: _Gesundheit_
f) Ring – Halskette – ~~Messer~~ – Ohrring: _Schmuck_
g) Bücherregal – ~~Elektroherd~~ – Sessel – Schrank: _Möbel_
h) ~~Typisch~~ – Türkisch – Spanisch – Deutsch: _Sprachen_
i) Kochbuch – Reiseführer – ~~Reiseleiter~~ – Wörterbuch: _Bücher_
j) Hund – Schwein – Pferd – Rind – Katze – ~~Hähnchen~~:   _Tiere_
k) Aufräumen – Wäsche waschen – Betten machen – ~~aufpassen~~:   _Haushalt_

Nach Übung

1

im Kursbuch

2. Was ist das? Ergänzen Sie.

a) Es ist kein Mensch und kein Tier, aber es lebt auch. _Pflanzen_
b) Im Zelt schläft man in einem _Schlafsack_
c) Ein Schmuckstück für den Hals ist eine _Kette_
d) Sie verstehen ein Wort nicht, dann brauchen Sie ein _Wörterbuch_
e) Zum Feuermachen braucht man ein _Feuerzeug_
f) Ein Film extra für das Fernsehen gemacht ist ein _Fernsehfilm_
g) Paul muss nicht spülen, er hat einen _Geschirrspüler_
h) Es sind Pflanzen. Man schenkt sie gerne Frauen. _____
i) Ein Buch mit Reiseinformationen ist ein _Reiseführer_

Nach Übung

2

im Kursbuch

3. Alle mögen Opa. Warum? Schreiben Sie.

a) (Wolfgang)   einen DVD-Player schenken
   Er hat ihm einen DVD-Player geschenkt.

b) (Beate)   das Auto leihen
c) (Beate und
   Wolfgang)   ein Haus bauen
d) (Kinder)   Geschichten erzählen
e) (ich)   ein Fahrrad kaufen
f) (du)   Briefe schreiben
g) (wir)   Pakete schicken
h) (Sie)   den Weg zeigen

Nach Übung

2

im Kursbuch

4. Ergänzen Sie die Tabellen. Machen Sie vorher Übung 2 auf Seite 107 im Kursbuch.

Wer?		Wem?	Was?
a) Der Verkäufer Er	zeigt	Carola und Hans den Kindern ihnen	ein Handy.
b) _Der_ _____ _____	erklärt	_Y_ _____ _der Schülerin_ _____ _____	den Dativ.
c) _____ _____	will	_E_ _____ _____ _____	helfen.
d) _____ _____	schenkt	_____ _____ _____	eine Halskette.
e) _____ _____	kauft	_____ _____ _____	ein Fahrrad.

Nach Übung

3

im Kursbuch

5. Bilden Sie Sätze.

a)

Mutter
45 Jahre
hört gern Musik
raucht
reist gern

b)

Vater
50 Jahre
spielt Fußball
kocht gern
Hobby-Fotograf

c)

Tochter
18 Jahre
schreibt gern Briefe
lernt Spanisch
fährt gern Ski

Reisetasche	Kochbuch	Skibrille
~~Feuerzeug~~	Kamera	Fußball
Wörterbuch	~~CD~~	Briefpapier

a) Die Mutter:

Ihr kann man eine CD schenken, denn sie hört gern Musik.
Ihr kann man ein Feuerzeug ..., denn ...
Ihr kann man ...

b) Der Vater:

Ihm kann man ...
...

c) Die Tochter:

Ihr kann man ...
...

6. Hören, verstehen, schreiben.

a) Dialog A
Hören Sie den Dialog A aus Übung 4 im Kursbuch auf Seite 108. Lesen Sie dann die Tabelle und den Text.

wann?	was?	bei wem?
morgen	Feier	bei Hilde und Georg

Geschenkideen	gut (+) / nicht gut (–)
1 Wörterbuch lernen Französisch	haben schon eins
2 Flasche Wein	trinken keinen Wein
3 Musikkassetten hören gern Musik	gute Idee

Morgen ist bei Hilde und Georg eine Feier. Die Gäste möchten ein Geschenk mitbringen. Die Frau will ihnen ein Wörterbuch schenken, denn Hilde und Georg lernen Französisch. Aber sie haben schon eins. Eine Flasche Wein können die Gäste auch nicht mitbringen, denn Hilde und Georg trinken keinen Wein. Aber sie hören gern Jazz. Deshalb schenken die Gäste ihnen eine Musikkassette.

b) Dialog C
Hören Sie den Dialog C aus Übung 4 im Kursbuch auf Seite 108. Notieren Sie dann.

wann?	was?	bei wem?
	Dienstjubiläum	

Geschenkideen	gut (+) / nicht gut (–)
1 raucht gern	das ist
2 Kochbuch	hat schon
3 seine	Idee ist

Schreiben Sie jetzt einen Text.
Morgen feiert Ewald sein Dienstjubiläum. Die Gäste möchten ...
Der Mann will ...

Nach Übung

4

im Kursbuch

7. Annabella hat Geburtstag. Goofy möchte ihr etwas schenken.

Lesen Sie den Comic und ergänzen Sie die Pronomen.

Toaster, Töpfe, Mixer ... das hat sie alles schon!

Eine Lampe vielleicht?

Nein, die kann ____ nicht nehmen, das ist zu unpersönlich.

Hallo, ihr zwei. Sagt mal, was kann ____ Annabella zum Geburtstag kaufen?

Kauf____ doch einen Pelz, den hat____ noch nicht. Das weiß____

Hmm...

Himmel!

... und ____ bekommen für 1000 Euro.

Hmm.

____ muss noch mal darüber nachdenken!

Herzlichen Glückwunsch, Annabella. Hier, ein Pelz ... ____ hoffe, ____ magst ____ !

Miau!

8. Hertha hat Geburtstag. Paul möchte ihr etwas schenken. Schreiben Sie einen Comic.

Nach Übung

4

im Kursbuch

Nach Übung

5

im Kursbuch

9. Schreiben Sie. Machen Sie vorher Übung 5 im Kursbuch auf Seite 109.

Beispiel: *Bernd wird dreißig Jahre alt. Das möchte er am Freitag um 20 Uhr feiern.*
Er lädt Ulla ein. Sie soll ihm bis Dienstag antworten oder ihn anrufen.

a) zu Übung 5 a)
Bettina hat . . .

b) zu Übung 5 b)
Herr und Frau Halster . . .

Nach Übung

5

im Kursbuch

10. Ihre Grammatik. Ergänzen Sie.

Nominativ	Dativ	Akkusativ
ich		
du		
sie		
er		*ihn*
es		*es*
sie		*sie*

Nominativ	Dativ	Akkusativ
wir		
ihr		
sie		
sie		*sie*

Nach Übung

8

im Kursbuch

11. Was passt nicht?

a) Zimmer: hell – zufrieden – sauber – leer
b) Auto: gesund – schnell – laut – lang
c) Pullover: teuer – gut – breit – groß
d) Nachbar: dick – nett – klein – niedrig
e) Stuhl: leicht – niedrig – klein – langsam
f) Schrank: breit – schwer – kalt – schön

12. Was passt nicht?

a) wohnen: billig – ruhig – groß – schön
b) arbeiten: gern – nett – langsam – immer
c) schmecken: bitter – süß – schnell – gut
d) essen: warm – gesund – schnell – klein
e) feiern: dick – gerne – oft – laut
f) erklären: falsch – genau – hoch – gut

Nach Übung

8

im Kursbuch

13. Ihre Grammatik. Ergänzen Sie.

klein	*kleiner*	*am kleinsten*	*lang*		
		am billigsten		*größer*	
	schneller				*am schmalsten*

neu					*am besten*
	lauter		*gern*		
		am leichtesten		*mehr*	

14. Ergänzen Sie.

Nach Übung

8

im Kursbuch

Wir haben ein Schiffauto gebaut.
Aber es hat uns nicht gefallen.

Zuerst war es zu klein,
da haben wir es _größer_
gemacht.

a) Dann war es zu groß, da haben wir es wieder _____ gemacht.
b) Dann war es zu breit, da haben wir es _____ gemacht.
c) Dann war es zu schmal, da haben wir es wieder _____ gemacht.
d) Dann war es zu niedrig, da haben wir es _____ gemacht.
e) Dann war es zu hoch, da haben wir es wieder _____ gemacht.
f) Dann war es zu kurz, da haben wir es _____ gemacht.
g) Dann war es zu lang, da haben wir es wieder _____ gemacht.
h) Dann war es zu schwer, da haben wir es _____ gemacht.
i) Dann war es zu leicht, da haben wir es wieder _____ gemacht.
j) Dann war es zu hässlich, da haben wir es _____ gemacht.
k) Zum Schluss war es uns zu teuer, und es war auch nicht mehr in Ordnung. Wir haben es nämlich _____ gemacht.

15. Bilden Sie Sätze.

Nach Übung

8

im Kursbuch

a) teuer sein

Pension Huber	+	*Der Gasthof „Zur Post" ist teurer*
Gasthof „Zur Post"	++	*als die Pension Huber. Am teuersten*
Schlosshotel	+++	*ist das Schlosshotel.*

b) hoch sein

Big Ben in London	+
Olympiaturm in München	++
Eiffelturm in Paris	+++

c) alt sein

Humboldt-Universität Berlin	+
Universität Straßburg	++
Karls-Universität in Prag	+++

d) groß sein

Münster	+
Dresden	++
Berlin	+++

e) lang sein

Weser	+
Elbe	++
Rhein	+++

f) gern spielen (Boris)

Fußball	+
Golf	++
Tennis	+++

g) gut Deutsch sprechen

George	+
Monique	++
Natalie	+++

h) schnell schwimmen

Paula	+
Linda	++
Yasmin	+++

i) schön wohnen

Bernd	+
Thomas	++
Jochen	+++

LEKTION 9

16. Schreiben Sie.

a) die Lampe – teuer

● *Nimm doch die Lampe da!*
■ *Die gefällt mir ganz gut, aber ich finde sie zu teuer.*
● *Dann nimm doch die da links, die ist billiger.*

b) der Tisch – niedrig

● *Nimm doch ...*
■ *Der gefällt ...*

c) der Teppich – breit
d) das Regal – groß
e) die Uhr – teuer

f) die Sessel (Pl.) – unbequem
g) die Teller (Pl.) – klein

17. Ergänzen Sie.

● Guten Tag. Kann ich (a) _Ihnen_ helfen?
■ Ja, ich suche eine Bürolampe. Können Sie (b) _____ bitte (c) _____ zeigen?
● Gern. Hier habe ich (d) _____ für 48 Euro. (e) _____ kann ich (f) _____ sehr empfehlen. (g) _____ ist sehr günstig.
■ Ja, (h) _____ ist ganz praktisch, aber (i) _____ gefällt (j) _____ nicht.
● Und (k) _____ hier? Wie gefällt (l) _____ _____?
■ Ganz gut. Was kostet (m) _____ denn?
● 65 Euro.
■ Das ist (n) _____ zu teuer.
● Wir haben hier noch (o) _____ für 37 Euro.
■ (p) _____ finde ich ganz schön. (q) _____ nehme ich. Können Sie (r) _____ bitte einpacken?
● Ja, natürlich.

18. Welche Antwort passt?

a) Was hat Ihre Frau dazu gesagt?
A Das hat ihr nicht gefallen.
B Sie hat es immer wieder gesagt.
C Sie hat das nicht gut gefunden.

b) Sind Sie jetzt wirklich glücklich?
A Ja, sie sind wirklich glücklich.
B Ja, ich bin wirklich glücklich.
C Ja, sie ist wirklich glücklich.

c) Schenk ihr doch einen Discman.
A Hat sie noch keinen?
B Der ist am besten.
C Was ist das denn?

d) Nimm doch den für 99 Euro.
A Und warum?
B Der ist am billigsten.
C Welchen kannst du mir denn empfehlen?

Nach Übung

12

im Kursbuch

19. Was passt zusammen?

A. Mit welchen Geräten kann man …

a)	Radio
b)	Computer
c)	CD-Player
d)	(Foto-)Kamera
e)	Fernsehgerät
f)	Videokamera
g)	DVD-Player
h)	Video Phone
i)	Discman

Musik hören?   _____
Musik aufnehmen?   _____
Nachrichten hören?   _____
Nachrichten hören und sehen?   _____
die Kinder filmen?   _____
Musikdateien abspielen?   _____
Filme aufnehmen?   _____
fotografieren?   _____
Filme ansehen?   _____
Interviews aufnehmen?   _____
CDs abspielen?   _____
fernsehen?   _____

B. Was kann man mit den Geräten machen?

a) *Mit einem Radio kann man Musik und …* _____

b) …

Nach Übung

13

im Kursbuch

20. Ihre Grammatik.

Unterstreichen Sie:

Wer / Was?

Wem?
••••••

Wen / Was?
------

a) Der Verkäufer hat ihr auf der Messe den Discman erklärt.
b) Den Discman hat er ihr auf der Messe erklärt.
c) Dort hat er ihr den Discman erklärt.
d) Er hat ihr früher oft geholfen.
e) Seine Tante hat ihm deshalb später das Bauernhaus vererbt.
f) Das Bauernhaus hat sie ihm deshalb vererbt.
g) Die Großstadt hat ihm zuerst ein bisschen gefehlt.
h) Später hat sie ihm nicht mehr gefehlt.

	Vorfeld	Verb$_1$	Subj.	Ergänz.	Angabe	Ergänzung	Verb$_2$
a)	*Der Verkäufer*	hat		ihr	auf der Messe	den Discman	erklärt.
b)							
c)							
d)							
e)							
f)							
g)							
h)							

Wortschatz

Verben

aufpassen 123
berichten 118, 121
besichtigen 12

bestehen (aus) 120
erfinden 118
fließen 121, 125

gehören 119, 124
wachsen 126
wählen 119

wandern 126

Nomen

s Ausland 121
r Bach, ¨e 125
r Bau 122
e Beamtin, -nen /
　r Beamte, -n; ein
　Beamter 119
r Berg, -e 125
e Brücke, -n 126
s Datum, Daten 119
s Denkmal, ¨er 122
r Dialekt, -e 120
s Elektrogerät, -e 118
s Ende 122

e Firma, Firmen 15,
　90, 118
r Fluss, ¨e 125
s Gasthaus, ¨er 123
s Gebiet, -e 120
e Grenze, -n 121
r Hafen, ¨ 122
s Jahrhundert, -e 122
r Kilometer, - 124
e Kneipe, -n 123
e Küste, -n 120, 121
Lebensmittel (*Plural*)
　41, 118

s Mal, -e 53, 122
r Meter, - 62, 122
e Ministerin, -nen /
　r Minister, - 119
e Nation, -en 124
e Pension, -en 126
r Politiker, - 118
e Ruine, -n 122
e Schauspielerin,
　-nen / r Schau-
　spieler, - 118
e Schriftstellerin,
　-nen / r Schrift-

steller, - 118
e Sehenswürdigkeit,
　-en 126
r Sitz, -e 122
e Sprache, -n 120,
　121
r Staat, -en 120, 124,
　125
s Studium 119
r Tod 122
e Touristin, -nen /
　r Tourist, -en 122
s Werk, -e 119

Adjektive

blau 124
endgültig 119
fertig 122
international 13, 124
offiziell 120, 121
tief 125

Adverbien

damals 124
daher 120

Funktionswort

darin 122

Grammatik

Definiter Artikel und Nomen im Genitiv (§ 4 und 5)

Maskulinum	*Singular:*	de**s** Stuhl**s**	*Plural:* der	Stühle
Femininum		de**r** Lampe		Lampen
Neutrum		de**s** Regal**s**		Regale

Indefiniter Artikel, Possessivartikel, Negation im Genitiv (§ 4 und 6)

	Indefiniter Artikel	*Possessivartikel*	*Negation*
Singular:	ein**es** Stuhl**s**	mein**es** / sein**es** Stuhl**s** dein**es** / Ihr**es**	kein**es** Stuhl**s**
	ein**er** Lampe	mein**er** / sein**er** Lampe dein**er** / Ihr**er**	kein**er** Lampe
	ein**es** Regal**s**	mein**es** / sein**es** Regal**s** dein**es** / Ihr**es**	kein**es** Regal**s**

Plural:	(von Stühlen)
	 (von Lampen)
	 (von Regalen)
		mein**er** / sein**er** Stühle
		 dein**er** / Ihr**er** Lampen
		            Regale
			kein**er** Stühle
			         Lampen
			         Regale

Ländernamen im Genitiv (§ 4, 10)

im größten Teil im Norden / im Süden / im Osten / im Westen	Deutschland**s** Österreich**s** Frankreich**s** …
die Grenzen die Sprache die Städte die Flüsse und Seen	der Bundesrepublik der Schweiz der Türkei der GUS
die Hauptstadt ein Wahrzeichen	des Großherzogtum**s** Luxemburg des Fürstentum**s** Liechtenstein der USA *(Plural!)* der Niederlande *(Plural!)*

Präpositionen mit Akkusativ (§ 18)

		Maskulinum	*Femininum*	*Neutrum*
durch	Wie?	durch den See	durch die Stadt	durch das Haus
um	Wo?	(rund) um den See	um die Stadt	um das Haus

LEKTION 10

Nach Übung

1

im Kursbuch

1. Welches Wort passt?

a) Wien ist _____ von Österreich.

    A ein Ausland   B die Hauptstadt   C ein Staat

b) Ein _____ braucht Benzin und hat zwei Räder.

    A Fahrrad   B Motorrad   C Auto

c) ● Welches _____ haben wir heute?

    ■ Heute ist der 1. Juni 1991.

    A Datum   B Termin   C Tag

d) In meinem Regal stehen alle _____ von Goethe.

    A Adressen   B Dialekte   C Bücher

e) In Deutschland ist ein Lehrer _____ .

    A Künstler   B Handwerker   C Beamter

f) Im Theater arbeiten _____ .

    A Schauspieler   B Künstler   C Schriftsteller

Nach Übung

2

im Kursbuch

2. Welche Wörter bedeuten Berufe, welche nicht?

Arzt	Friseur	Person	Verkäufer	Doktor	Kollege	Österreicher	Chef

Sohn   Bäcker   Student   Deutscher   Bruder   Mann   Tante   Politiker   Polizist   Junge   Passagier   Eltern   Lehrer   Minister   Hausfrau   Schriftsteller   Tourist   Nachbar   Schauspieler   Schweizer   Beamter   Herr   Freund   Maler   Tochter   Schüler   Soldat   Ausländer

a) Berufe

    Arzt / Ärztin

    ...

b) keine Berufe

    Student / Studentin

    ...

Nach Übung

3

im Kursbuch

3. Schreiben Sie die Zahlen.

a) der 1. _____ Januar

b) der 2. _____ Februar

c) der 3. _____ März

d) der 4. _____ April

e) der 5. _____ Mai

f) der 6. _____ Juni

g) der 7. _____ Juli

h) der 8. _____ August

i) der 9. _____ September

j) der 10. _____ Oktober

k) der 11. _____ November

l) der 12. _____ Dezember

m) der 13. _____ August

n) der 14. _____ Oktober

4. Was passt zusammen?

Nach Übung

3

im Kursbuch

Fußball	einen Brief	ein Buch	eine Insel	ein Bild	
eine Maschine	ein Lied	ein Gerät	ein Land	Tennis	

a) _____ entdecken

b) _____ schreiben

c) _____ komponieren

d) _____ erfinden

e) _____ malen

f) _____ spielen

5. Wann hat … gelebt? Schreiben Sie.

Nach Übung

3

im Kursbuch

a) Thomas Mann   1875–1955

   von achtzehnhundertfünfundsiebzig bis neunzehnhundertfünfundfünfzig

b) Max Frisch   1911–1991
c) Albert Einstein   1879–1955
d) Adolph von Menzel   1815–1905
e) Heinrich Heine   1797–1856
f) Friedrich Schiller   1759–1805

g) Johann Sebastian Bach   1685–1750
h) Martin Luther   1483–1546
i) Meister Eckhart   1260–1328
j) Friedrich I. Barbarossa   1125–1190
k) Karl der Große   742–814

6. Was wissen Sie über Thomas Mann? Schreiben Sie.

Nach Übung

3

im Kursbuch

1875 in Lübeck
mit 26 Jahren das Buch „Die Buddenbrooks"
etwa 40 Jahre lang in München
fünf Kinder
1929 den Nobelpreis für Literatur
1933 aus Deutschland
kurze Zeit in der Schweiz
1938 nach Amerika
nach dem Zweiten Weltkrieg nach Europa
von 1952 bis zu seinem Tod in der Schweiz
Deutschland nur noch manchmal
1955 in Kilchberg bei Zürich

bekommen   besuchen
~~geboren sein~~   gehen
haben   leben   sein
schreiben   sterben
zurückkommen   weggehen
wohnen

Thomas Mann ist 1875 in Lübeck geboren.

…

Nach Übung

3

im Kursbuch

7. Ergänzen Sie.

von ... bis ...	bis	in	an	seit	nach	vor

Goethe ist (a) _____ 28. August 1749 in Frankfurt am Main geboren. (b) _____ 1765 geht er dort zur Schule. (c) _____ 1765 _____ 1768 studiert er in Leipzig. (d) _____ _____ Studium dort geht er an die Universität in Straßburg und promoviert dort (e) _____ Jahr 1771. Er wohnt dann wieder in Frankfurt und arbeitet dort (f) _____ 1771 _____ 1775 als Rechtsanwalt. (g) _____ _____ vier Jahren in Frankfurt schreibt er den Roman „Die Leiden des jungen Werthers". Das Buch macht ihn in ganz Europa berühmt. (h) _____ Jahr 1775 ruft ihn der Herzog Karl August nach Weimar. Goethe arbeitet dort als Landesbeamter und sogar als Minister. 1786 reist er nach Italien und bleibt dort (i) _____ 1788. Er kommt (j) _____ _____ Reise nach Weimar zurück. 1806 heiratet er Christiane Vulpius. Mit ihr lebt er schon (k) _____ 1788 zusammen. (l) _____ _____ Weimarer Zeit interessiert ihn vor allem die Naturwissenschaft. Erst (m) _____ _____ Freundschaft und Zusammenarbeit mit Friedrich Schiller (1794 (n) _____ 1805) schreibt er wieder wichtige literarische Werke: „Wilhelm Meisters Lehrjahre", „Reineke Fuchs", „Hermann und Dorothea", „Die natürliche Tochter" und, (o) _____ Schillers Tod 1805, den „Faust" (1. Teil), die „Wahlverwandtschaften", „Aus meinem Leben. Dichtung und Wahrheit", „Wilhelm Meisters Wanderjahre" und den „West-östlichen Divan". (p) _____ _____ letzten Monaten (q) _____ _____ Tod beendet er die Arbeiten am „Faust" (2. Teil). Goethe stirbt (r) _____ Jahr 1832 in Weimar.

Nach Übung

5

im Kursbuch

8. Woher kommt er/sie? Was spricht er/sie? Schreiben Sie.

a)

b)

c)

d)

a) *Er ist Spanier.*
Er kommt aus Spanien.
Er spricht Spanisch.

9. Lesen Sie noch einmal die Seiten 13, 16 und 17 im Kursbuch. Ergänzen Sie dann.

Nach Übung

5

im Kursbuch

	Er / Sie heißt …	Er / Sie ist aus …	Er / sie ist …	Er / sie spricht …
a)	Julia Omelas Cunha		Brasilianerin	
b)	Victoria Roncart	Frankreich		
c)	Farbin Halim			Hindi
d)	Kota Oikawa	Japan		
e)	Sven Gustafsson			schwedisch
f)	Ewald Hoppe		Pole	
g)	John Roberts			Englisch
h)	Monika Sager	Deutschland		

10. Ergänzen Sie.

Nach Übung

5

im Kursbuch

aber	dann	deshalb	oder	und	trotzdem	sonst

a) Deutsch spricht man in Deutschland _____ in Österreich, _____ auch in einem Teil der Schweiz.

b) Das Elsass gehört zu Frankreich, _____ viele Menschen sprechen dort einen deutschen Dialekt.

c) Der Süden von Dänemark war früher manchmal deutsch und manchmal dänisch. _____ sprechen dort noch viele Menschen Deutsch.

d) Seit mehr als 100 Jahren leben deutsche Familien in Russland. Sie hatten wenig Kontakt zu Deutschland. _____ haben sie die deutsche Sprache nicht vergessen. Ihr Deutsch ist nicht sehr modern, _____ jeder Deutsche kann sie gut verstehen.

e) Sie möchten die deutsche Sprache und ihre Dialekte kennen lernen? _____ machen Sie am besten eine Reise durch Deutschland!

f) Herr und Frau Raimund möchten Französisch lernen. _____ machen sie beide einen Sprachkurs. Im Juli ist der Kurs zu Ende. _____ wollen sie in Frankreich Urlaub machen.

g) Was kann man leichter lernen: Englisch _____ Französisch?

h) Man muss eine Fremdsprache gut sprechen, _____ kann man im Ausland keine Freunde finden.

Nach Übung

6

im Kursbuch

11. Ergänzen Sie.

a) die Straßen (Hauptstadt) _der_   _Hauptstadt_
b) der Komponist (Lieder) _____ _____
c) am Ende (Jahrhundert) _____ _____
d) das Zentrum (Stadt) _____ _____
e) die Arbeit (Stadtparlament) _____ _____
f) der Chef (Orchester) _____ _____
g) im Westen (Land) _____ _____
h) die Namen (Firmen) _____ _____
i) das Dach (Turm) _____ _____
j) die Adressen (Geschäfte) _____ _____

Nach Übung

6

im Kursbuch

12. Sagen Sie es anders.

Das ist die Telefonnummer ...   =   Das ist die Telefonnummer ...

a) meiner Mutter   =   _von meiner Mutter_ _____

b) seines Vaters   =   _von_ _____
c) unserer Schule   =   _____
d) ihres Chefs   =   _____
e) deines Kollegen   =   _____
f) der Reinigung   =   _____
g) des Rathauses   =   _____
h) unserer Nachbarn   =   _____

i) _der Bibliothek_ _____   = von der Bibliothek
j) _____   = von meinem Vermieter
k) _____   = vom Gasthaus Schmidt
l) _____   = von einem Restaurant
m) _____   = vom Café Fischer
n) _____   = von unserem Arzt
o) _____   = von euren Nachbarn
p) _____   = vom Nationalmuseum

Das ist die Telefonnummer ...   =   Das ist ...

q) von Barbara   =   _Barbaras Telefonnummer_ _____
r) von Werner   =   _____
s) von Hanne   =   _____
t) von Jürgen   =   _____
u) von Ulrike   =   _____

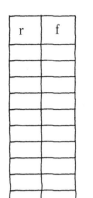

13. Lesen Sie im Kursbuch Seite 122. Steht das so im Text?

Nach Übung

7

im Kursbuch

	r	f
1.		
2.		
3.		
4.		
5.		
6.		
7.		
8.		

1. Der Dresdner Zwinger ist die größte Kirche Deutschlands.
2. Im Juni 1880 war das Riesenrad endlich fertig.
3. Die Gedächtniskirche ist eine Ruine.
4. Bier aus dem Hofbräuhaus gibt es seit mehr als 400 Jahren.
5. Ein Engländer hat den Berner „Zytglogge" gebaut.
6. Heute können die Touristen den Dresdner Zwinger wieder besichtigen.
7. In die Stadt Bern kann man nur durch einen Turm hineinkommen.
8. Die Bauzeit des Kölner Doms war sehr lang.
9. Der „Michel" steht am Hamburger Hafen.
10. In Frankfurt finden die Messen auf dem Römerberg statt.

14. Welches Verb passt? Ergänzen Sie.

Nach Übung

7

im Kursbuch

| geboren sein | gehören | bestehen | gestorben sein | raten | wählen | besichtigen |

a) zu Österreich / zum Hotel / zu einer Gruppe _____
b) einen Namen / eine Person / richtig _____
c) in Wien / mit 79 Jahren / am 5. Januar _____
d) einen Minister / einen Politiker / das Parlament _____
e) eine Kirche / das Denkmal / ein Schloss _____
f) aus Fleisch und Gemüse / aus Holz / aus Papier _____
g) in Heidelberg / am 25. Mai 1954 / vor 25 Jahren _____

15. Ergänzen Sie. Was passt zusammen?

Nach Übung

7

im Kursbuch

| mit einem Freund | bei einem Freund | für einen Freund | dem Freund ein Buch |
| einem Freund | ein Freund | zu einem Freund | einen Freund |

a) _____ telefonieren / verabredet sein / sprechen
b) _____ leihen / schenken / schicken
c) _____ wohnen / bleiben / übernachten
d) _____ gehen / ziehen / fahren
e) _____ helfen / Leid tun / zuhören
f) _____ einkaufen / bezahlen / Zeit haben
g) _____ anrufen / einladen / heiraten
h) _____ sein / bleiben / werden

Nach Übung

7

im Kursbuch

16. Welche Verben sind möglich?

A. Herr Ziehl
- a) ☐ fährt
- b) ☐ arbeitet
- c) ☐ besichtigt
- d) ☐ bleibt
- e) ☐ bringt
- f) ☐ beschreibt
- g) ☐ fragt
- h) ☐ fotografiert
- i) ☐ trifft
- j) ☐ kennt

den Hafen.

B. Deutschland
- a) ☐ besteht aus
- b) ☐ gehört zu
- c) ☐ verbindet mit
- d) ☐ geht zu
- e) ☐ liegt in
- f) ☐ kommt aus
- g) ☐ ist ein Teil von
- h) ☐ diskutiert mit
- i) ☐ ist in

Europa.

Nach Übung

10

im Kursbuch

17. Ergänzen Sie. Lesen Sie vorher den Text im Kursbuch auf Seite 124/125.

(a) Am _____ treffen sich drei _____ : (b) Deutschland, _____ _____ _____ Schweiz. (c) Die _____ zwischen den drei _____ sind sehr offen. (d) Man kann _____ Probleme _____ einem Land _____ das andere _____ . (e) Im Südosten _____ Sees liegt Österreich, im Südwesten _____ Schweiz und im Norden Deutschland. (f) 168 Kilometer seines _____ gehören _____ Deutschland. (g) Das Ufer in der _____ ist 69 _____ _____ , 40 Kilometer _____ als das Ufer in Österreich. (h) _____ Mai _____ Oktober verbinden _____ und zwei _____ die Städte am Bodensee. (i) Mehr als 200 _____ und _____ fließen in den See. (j) _____ ist 63 Kilometer _____ und 14 Kilometer _____ . (k) Jedes Jahr kommen viele _____ _____ den Bodensee und _____ dort Urlaub. (l) Auf zwei über 300 Kilometer langen Wegen können Sie rund _____ den See _____ oder Rad fahren.

Nach Übung

11

im Kursbuch

18. Ergänzen Sie die Präpositionen und Artikel.

in	durch	nach	auf	um	an	über

a) Viele Schweizer fahren _____ Friedrichshafen und kaufen dort ein.

b) _____ Westen der Schweiz sprechen die Leute Französisch.

c) In den Dörfern _____ _____ Nordseeküste und _____ _____ Nordseeinseln sprechen viele Leute Plattdeutsch.

d) Gestern sind wir _____ _____ Pfänder gewandert. Er ist 1064 Meter hoch. Der Blick von dort _____ _____ Bodensee ist fantastisch.

e) Der Wanderweg rund _____ _____ Bodensee ist 316 Kilometer lang.

f) Der Rhein fließt _____ _____ Bodensee.

g) Gehen Sie dort _____ _____ Brücke. Dann kommen Sie _____ _____ Insel Mainau.

h) Früher ist man in Bern _____ _____ Zeitglockenturm _____ _____ Stadt gegangen.

Nach Übung

11

im Kursbuch

i)   Das Land Liechtenstein liegt _____ _____ Nähe des Bodensees.

j)   _____ _____ Bodenseeinseln dürfen keine Autos fahren.

k)   Wir fahren am Wochenende _____ _____ Alpen. Denn _____ _____
Bergen liegt jetzt genug Schnee; man kann dort sehr gut Ski fahren.

19. Welches Wort passt nicht?

a)   Sprache – Dialekt – Deutsch – Buch

b)   Ausland – Österreich – Schweiz – Liechtenstein

c)   Strand – Küste – Meer – Ufer

d)   Hafen – Bahnhof – Schiff – Flughafen

e)   Meter – Kilogramm – Liter – Tasse – Kilometer

f)   breit – rund – tief – lang – hoch – kurz

g)   Kneipe – Museum – Hotel – Schloss – Denkmal

h)   Fluss – Bach – Meer – Bad

i)   Fahrrad – Fähre – Auto – Flugzeug

j)   Nation – Staat – Land – Natur

k)   Hafen – Brücke – Straße – Weg

l)   Dorf – Stadt – Ort – Parlament

m)   Frühling – Klima – Herbst – Sommer

n)   Hotel – Pension – Museum – Gasthof

o)   mit dem Auto – zu Fuß – mit dem Rad – mit dem Fuß – mit dem Schiff

20. Was passt?

Nach Übung

11

im Kursbuch

etwas	vor allem	meistens	oft
ganz	selten		fast
manchmal	natürlich	plötzlich	vielleicht

a)   (Gewöhnlich) _____ trinke ich abends Tee.

b)   (Selbstverständlich) _____ kannst du mitkommen.

c)   Das ist (völlig) _____ unmöglich.

d)   Leider habe ich (kaum noch Freunde) _____ keine Freunde mehr.

e)   (Ganz besonders) _____ mag ich Jazzmusik.

f)   (Eventuell) _____ fahren wir heute noch nach Hause.

g)   Nach Berlin kommen wir (nicht oft) _____.

h)   Möchten Sie noch (ein bisschen) _____ Wein?

i)   Meine Freunde sehe ich (häufig) _____.

j)   Auf dem Petersplatz in Rom waren viele Leute, und (in einer Sekunde)
_____ habe ich meinen Freund nicht mehr gesehen.

k)   Meistens kann ich gut schlafen, aber (nicht immer) _____ trinke ich zu viel
Kaffee, und dann habe ich Probleme.

LEKTION 10

Nach Übung

11

im Kursbuch

21. Was passt?

a) Dieses Buch über die Berliner Museen ist _____ interessant.
　A ganz besonders　　　B praktisch　　　C genau

b) Geh bitte zum Lebensmittelmarkt und kauf Milch. _____ brauche ich noch Obst und Gemüse vom Markt.
　A Ungefähr　　　B Außerdem　　　C Wirklich

c) Ich komme etwa um sieben Uhr nach Hause, _____ auch etwas später.
　A ungefähr　　　B endlich　　　C eventuell

d) Kleidung, Schuhe, Skizeug: Da ist ja _____ noch Platz im Koffer!
　A fast　　　B kaum　　　C ziemlich

e) Fred hat das Auto erst vor vier Monaten gekauft. Es ist noch _____ neu.
　A direkt　　　B fast　　　C eventuell

f) Das habe ich noch nie gesehen! Ich glaube, das geht gar nicht! Das ist _____ unmöglich.
　A kaum　　　B endlich　　　C praktisch

g) _____ trinke ich morgens Tee, aber heute möchte ich gern einen Kaffee.
　A Gewöhnlich　　　B Praktisch　　　C Unbedingt

h) Warum fragst du überhaupt? _____ bist du auch eingeladen.
　A Wohl　　　B Natürlich　　　C Gar nicht

i) Sofie isst gern Torte, _____ Schokoladentorte.
　A gleichzeitig　　　B vor allem　　　C eigentlich

j) _____ rufe ich dich an. Das ist doch gar kein Problem.
　A Einfach　　　B Wirklich　　　C Selbstverständlich

k) Meine Wohnung hat nicht nur einen Balkon, sie hat _____ einen Garten.
　A ungefähr　　　B sogar　　　C überall

Nach Übung

11

im Kursbuch

22. Schreiben sie den Brief neu.

a) Ordnen Sie die Teile.

Wandern. Die mir, sonst Grüße

schon mit meinem es hier fantastisch.

annes, Woche bin ich nun Bodensee. Ich finde Tag haben wir

stundenlang Nur du fehlst Woche! Ganz herzliche Katrin

Sonne, und ich kann Berge sind herrlich. ist alles prima. Bis nächste

Lieber Joh seit einer Zelt am Den ganzen

b) Schreiben Sie den Brief

Lieber Johannes,
seit einer Woche ...

Lektion 6

1. a) Bein b) Zahn c) Fuß d) Ohr e) Bauch f) Hand

2. 1: *seine Nase* 2: sein Bauch 3: *ihr Arm* 4: ihr Gesicht 5: ihr Auge 6: sein Ohr 7: sein Kopf 8: sein Fuß 9: sein Bein 10: ihr Bein 11: sein Hals 12: ihr Mund 13: ihre Nase 14: sein Rücken 15: sein Auge 16: ihre Hand

3. a) die, Hände b) der, Arme c) die, Nasen d) der, Finger e) das, Gesichter f) der, Füße g) das, Augen h) der, Rücken i) das, Beine j) das, Ohren k) der, Köpfe l) der, Zähne

4. a) haben b) verstehen c) nehmen (brauchen) d) beantworten (verstehen) e) sein f) brauchen

5. b) Herr Kleimeyer ist nervös Er darf nicht rauchen. Er muss Gymnastik machen. Er muss viel spazieren gehen. c) Herr Kleimeyer hat Kopfschmerzen. Er darf nicht viel rauchen. Er muss spazieren gehen. Er darf keinen Alkohol trinken. d) Herr Kleimeyer hat Magenschmerzen. Er muss Tee trinken. Er darf keinen Wein trinken. Er darf nicht fett essen. e) Herr Kleimeyer ist zu dick. Er muss viel Sport treiben. Er darf keine Schokolade essen. Er muss eine Diät machen. f) Herr Kleimeyer kann nicht schlafen. Er muss abends schwimmen gehen. Er darf abends nicht viel essen. Er darf keinen Kaffee trinken. g) Herr Kleimeyer hat ein Magengeschwür. Er darf nicht viel arbeiten. Er muss den Arzt fragen. Er muss vorsichtig leben.

6. a) muss · soll/darf · will/muss · möchte · darf
   b) soll · möchte/will · soll · kann · soll · muss
   c) kann · soll · muss
   d) will · will · soll · möchte/will

7. b) müssen · ich soll viel Obst essen. c) dürfen · ich soll nicht Fußball spielen. d) müssen · ich soll Tabletten nehmen. e) dürfen · ich soll keinen Kuchen essen. f) dürfen · ich soll nicht so viel rauchen. g) müssen · ich soll oft schwimmen gehen h) dürfen · ich soll keinen Wein trinken. i) dürfen · ich soll nicht fett essen.

8. b) Besuch doch eine Freundin!
   c) Lade doch Freunde ein!
   d) Geh doch spazieren!
   e) Lies doch etwas!
   f) Schlaf doch noch eine Stunde!
   g) Räum doch das Kinderzimmer auf!
   h) Schreib doch einen Brief!
   i) Geh doch einkaufen!
   j) Spül doch das Geschirr!
   k) Bereite doch das Abendessen vor!
   l) Sieh doch fern!
   m) Sei doch endlich zufrieden!

9. a) neu b) ungefährlich c) unglücklich d) unbequem e) schlecht f) unmodern g) unvorsichtig h) unzufrieden i) schwer j) kalt k) ruhig l) sauer m) unehrlich n) krank o) dick p) gleich q) hässlich r) ungünstig s) unwichtig t) leise u) klein v) hell w) geschlossen x) zusammen

10. a) *Um halb neun ist* sie aufgestanden. b) *Dann* hat sie gefrühstückt. c) *Danach* hat sie ein Buch gelesen. d) *Sie hat* Tennis gespielt e) *und* Radio gehört. f) *Um ein Uhr* hat sie zu Mittag gegessen. g) *Von drei bis vier Uhr* hat sie geschlafen. h) *Dann* ist sie schwimmen gegangen. / ... hat / ist sie geschwommen. i) *Um fünf Uhr* hat sie Kaffee getrunken. j) *Danach* hat sie ferngesehen. k) *Um sechs Uhr* hat sie zu Abend gegessen. l) *Abends* hat sie getanzt.

11. *anfangen*, anrufen, antworten, arbeiten, aufhören, aufmachen, aufräumen, aufstehen, ausgeben, aussehen
    baden, bauen, beantworten, bedeuten, bekommen, beschreiben, bestellen, besuchen, bezahlen, bleiben, brauchen, bringen
    diskutieren, duschen
    einkaufen, einladen, einschlafen, entscheiden, erzählen, essen
    fahren, feiern, fernsehen, finden, fotografieren, fragen, frühstücken, funktionieren
    geben, gehen, glauben, gucken
    haben, heißen, helfen, herstellen, holen, hören
    informieren
    kaufen, kennen, klingeln, kochen, kommen, kontrollieren, korrigieren, kosten
    leben, leihen, lernen, lesen, liegen
    machen, meinen, messen, mitbringen

nehmen
passen, passieren
rauchen
sagen, schauen, schlafen, schmecken, schneiden, schreiben, schwimmen, sehen, sein, spielen, sprechen, spülen, stattfinden, stehen, stimmen, stören, studieren, suchen
tanzen, telefonieren, treffen, trinken, tun
umziehen
verbieten, verdienen, vergessen, vergleichen, verkaufen, verstehen, vorbereiten, vorhaben
warten, waschen, weitersuchen, wissen, wohnen
zeichnen, zuhören

12. Individuelle Lösung.

13. a) C **b)** B **c)** B **d)** D **e)** C **f)** C **g)** A **h)** D

14. a) unbedingt **b)** plötzlich **c)** bloß / nur **d)** bloß / nur **e)** zu viel · höchstens **f)** Wie oft · häufig **g)** bestimmt **h)** ein bisschen **i)** unbedingt **j)** höchstens / bloß / nur **k)** wirklich

15. b) Hört doch Musik!
c) Besucht doch Freunde!
d) Ladet doch Freunde ein!
e) Spielt doch Fußball!
f) Geht doch einkaufen!
g) Arbeitet doch für die Schule!
h) Seht doch fern!
i) Räumt doch ein bisschen auf!
j) Lest doch ein Buch!
k) Geht doch spazieren!
l) Macht doch Musik!
m) Seid doch endlich zufrieden!

16.

	du	ihr	Sie
kommen	komm	*kommt*	kommen Sie
geben	gib	gebt	geben Sie
essen	*iss*	esst	essen Sie
lesen	lies	lest	lesen Sie
nehmen	nimm	nehmt	nehmen Sie
sprechen	sprich	sprecht	*sprechen Sie*
vergessen	vergiss	vergesst	vergessen Sie
einkaufen	kauf ... ein	kauft ... ein	kaufen Sie ... ein
(ruhig) sein	sei	seid	seien Sie

17.

	Vorfeld	*Verb$_1$*	*Subj.*	*Angabe*	*Ergänzung*	*Verb$_2$*
a)		*Nehmen*	*Sie*	*abends*	*ein Bad!*	
b)	Ich	soll		abends	ein Bad	nehmen.
c)	Sibylle	hat		abends	ein Bad	genommen.
d)		Trink		nicht	so viel Kaffee!	

18. Individuelle Lösung.

Lektion 7

1. **a)** schreiben **b)** trinken **c)** waschen **d)** machen **e)** kochen **f)** lernen **g)** fahren **h)** gehen **i)** treffen **j)** einkaufen

2. **a)** *Am Morgen hat sie lange geschlafen und dann* geduscht. *Am Mittag hat sie* das Essen gekocht. *Am Nachmittag* hat sie Briefe geschrieben und Radio gehört. *Am* Abend hat sie das Abendessen gemacht und die Kinder ins Bett gebracht.
   b) Am Morgen hat er mit den Kindern gefrühstückt. Dann hat er das Auto gewaschen. Am Mittag hat er das Geschirr gespült. Am Nachmittag hat er im Garten gearbeitet und mit dem Nachbarn gesprochen. Am Abend hat er einen Film im Fernsehen gesehen. Um halb elf ist er ins Bett gegangen.
   c) Am Morgen haben sie im Kinderzimmer gespielt und Bilder gemalt. Am Mittag um halb eins haben sie gegessen. Am Nachmittag haben sie Freunde getroffen. Dann sind sie zu Oma und Opa gefahren. Am Abend haben sie gebadet. Dann haben sie im Bett gelesen.

3. **a)** *hat gehört,* gebadet, gearbeitet, gebaut, geduscht, gefeiert, gefragt, gefrühstückt, geheiratet, geholt, gekauft, gekocht, gelebt, gelernt, gemacht, gepackt, geraucht, geschmeckt, gespült, gespielt, getanzt, gewartet, geweint, gewohnt
   b) *hat getroffen,* gesehen, gestanden, getrunken, gefunden, gegeben, gelesen, gemessen, geschlafen, geschrieben, gewaschen, geschwommen
   ist geschwommen, geblieben, gegangen, (gestanden), gefahren, gekommen, gewesen, gefallen

4. **a)** 7.30: *gekommen,* 7.32: gekauft, 7.34–7.50: gewartet · gelesen, 7.50: gefahren, 8.05: geparkt, 8.10: gegangen · getrunken, 8.20: gesprochen, bis 9.02: gewesen, bis 9.30: spazieren gegangen, 9.30: eingekauft, 9.40: gebracht, 9.45: angerufen
   b) *Um 7.30 Uhr ist Herr A. aus dem Haus gekommen. Er hat an einem Kiosk eine Zeitung gekauft. Dann hat er* im Auto gewartet und Zeitung gelesen. *Um 7.50 Uhr* ist A. zum City-Parkplatz gefahren. Dort hat er um 8.05 Uhr geparkt. Um 8.10 Uhr ist er in ein Café gegangen und hat einen Kaffee getrunken. Um 8.20 Uhr hat er mit einer Frau gesprochen. Er ist bis 9.02 Uhr im Café geblieben. Bis 9.30 Uhr ist er dann im Stadtpark spazieren gegangen. Dann hat er im HL-Supermarkt Lebensmittel eingekauft. Um 9.40 Uhr hat er die Lebensmittel zum Auto gebracht. Um 9.45 Uhr hat A. in einer Telefonzelle jemanden angerufen.

5. **a)** -ge—(e)t *zugehört,* mitgebracht, aufgemacht, aufgeräumt, hergestellt, kennen gelernt, weitergesucht
   ge—t *gehört,* geglaubt, geantwortet, geklingelt, gesucht, gewusst
   —(e)t *verkauft,* überlegt, vorbereitet
   b) -ge—en (hat ...) *ferngesehen,* angerufen, stattgefunden
   (ist ...) *aufgestanden,* spazieren gegangen, umgezogen, eingeschlafen, weggefahren
   ge—en (hat ...) *gesehen,* geliehen, gefallen
   (ist ...) *geblieben,* gekommen, gefallen

6. **a)** hatte **b)** wart – waren · hatten **c)** hatte – war **d)** hatten · waren **e)** Hattet (Habt) **f)** Hattest · warst – hatte · war **g)** Hatten – war

7. *sein: war,* warst, war, waren, wart, waren
   haben: hatte, hattest, hatte, hatten, hattet, hatten

8. **a)** wegfahren **b)** Pech **c)** Chef **d)** mitnehmen **e)** Sache **f)** auch **g)** gewinnen **h)** grüßen **i)** verabredet sein **j)** fallen

9. **a)** fotografiert **b)** bestellt **c)** verkauft **d)** bekommen **e)** besucht · operiert **f)** gesagt · verstanden **g)** bezahlt · vergessen **h)** erzählt

10. **a)** Tu den Pullover bitte in die Kommode! **b)** Tu die Bücher bitte ins Regal! **c)** Bring das Geschirr bitte in die Küche! **d)** Bring den Fußball bitte ins Kinderzimmer! **e)** Tu das Geschirr bitte in die Spülmaschine! **f)** Bring die Flaschen bitte in den Keller! **g)** Tu den Film bitte in die Kamera! **h)** Tu das Papier bitte in/auf den Schreibtisch! **i)** Tu die Butter bitte in den Kühlschrank! **j)** Tu die Wäsche bitte in die Waschmaschine! **k)** Bring das Kissen bitte ins Wohnzimmer!

11. **a)** *Im Schrank.* **b)** Im Garten. **c)** In der Kommode. **d)** Im Regal. **e)** Im Schreibtisch. **f)** Im Flur. **g)** Im Keller.

12. **a)** in der · im · im **b)** in der · im · im **c)** in die · ins · in die **d)** im · im · in der **e)** in der · im · im **f)** in der · im · im **g)** in die · in die · ins **h)** in der · im · im **i)** ins · in den · in die **j)** in den · in die · ins

13. **a)** putzen **b)** ausmachen (ausschalten) **c)** Schuhe / Strümpfe **d)** Schule **e)** gießen **f)** vermieten **g)** wecken **h)** anstellen / anmachen / einschalten **i)** Telefon **j)** schlecht

14. **a)** ihn **b)** ihn **c)** sie **d)** sie **e)** es **f)** sie **g)** sie · sie

15. **b)** Vergiss bitte die Küche nicht! Du musst sie jeden Abend aufräumen.
c) Vergiss bitte den Hund nicht! Du musst ihn jeden Morgen füttern.
d) Vergiss bitte die Blumen nicht! Du musst sie jede Woche gießen.
e) Vergiss bitte den Brief von Frau Berger nicht! Du musst ihn unbedingt beantworten.
f) Vergiss bitte das Geschirr nicht! Du musst es jeden Abend spülen.
g) Vergiss bitte die Hausaufgaben nicht! Du musst sie unbedingt kontrollieren.
h) Vergiss bitte meinen Pullover nicht! Du musst ihn heute noch waschen.
i) Vergiss bitte meine Krankenversicherungskarte nicht! Du musst sie zu Dr. Simon bringen.
j) Vergiss bitte den Fernsehapparat nicht! Du musst ihn abends abstellen.

16. ● Hast · gewaschen ■ habe · gepackt – Hast · geholt ● habe · gekauft – aufgeräumt – hast · gemacht ■ habe · gebracht – bin · gegangen – habe · gekauft – Hast · gesprochen ● habe · hingebracht – Hast · geholt ■ habe · vergessen

17. **a)** aufwachen **b)** weg sein **c)** sitzen **d)** zurückkommen **e)** rufen **f)** parken **g)** anstellen **h)** abholen **i)** weggehen **j)** aufhören **k)** weiterfahren **l)** suchen **m)** aussteigen

18. **a)** 1. jetzt 2. sofort 3. gleich 4. bald 5. später
b) 1. gegen elf Uhr 2. um elf Uhr 3. nach elf Uhr
c) 1. gestern früh 2. gestern Abend 3. heute Morgen 4. heute Mittag 5. morgen früh 6. morgen Nachmittag 7. morgen Abend
d) 1. zuerst 2. dann 3. danach 4. später
e) 1. immer 2. oft 3. manchmal 4. nie
f) 1. alles 2. viel 3. etwas 4. ein bisschen

19. **a)** noch nicht · erst **b)** nicht mehr **c)** erst **d)** noch **e)** schon **f)** noch **g)** erst · schon (schon · noch nicht) **h)** nicht mehr **i)** nicht mehr

20. **a)** Herzliche Grüße, Hallo Bernd, Lieber Christian, Liebe Grüße, Sehr geehrte Frau Wenzel, Lieber Herr Heick
b) Hallo Bernd, Guten Tag, Auf Wiedersehen, Guten Abend, Guten Morgen, Tschüs

Lektion 8

1. **b)** *Paul repariert die* Dusche nicht selbst. *Er lässt* die Dusche reparieren.
c) Paul fährt das Auto nicht selbst in die Garage. Er lässt das Auto in die Garage fahren.
d) Ich mache den Kaffee nicht selbst. Ich lasse den Kaffee machen.
e) Er beantwortet den Brief nicht selbst. Er lässt den Brief beantworten.
f) Ihr holt den Koffer nicht selbst am Bahnhof ab. Ihr lasst den Koffer am Bahnhof abholen.
g) Sie waschen / wäscht die Wäsche nicht selbst. Sie lassen / lässt die Wäsche waschen.
h) Ich mache die Hausarbeiten nicht selbst. Ich lasse die Hausarbeiten machen.
i) Paula putzt die Wohnung nicht selbst. Sie lässt die Wohnung putzen.
j) Du räumst den Schreibtisch nicht selbst auf. Du lässt den Schreibtisch aufräumen.
k) Ich bestelle das Essen und die Getränke nicht selbst. Ich lasse das Essen und die Getränke bestellen.
l) Paul und Paula machen das Frühstück nicht selbst. Sie lassen das Frühstück machen.

2. **b)** in die VW-Werkstatt **c)** in die Sprachschule Berger **d)** auf die Post **e)** auf den Bahnhof **f)** ins Ufa-Kino **g)** in die Tourist-Information **h)** ins Parkcafé **i)** ins Schwimmbad **j)** in die Metzgerei Koch / in den Supermarkt König **k)** in den Supermarkt König **l)** in die Bibliothek

3. **b)** *Um neun Uhr war er* auf der Bank. **c)** Um halb zehn war er auf dem Bahnhof. **d)** Um zehn Uhr war er in der Bibliothek. **e)** Um halb elf war er im Supermarkt. **f)** Um elf Uhr war er in der Reinigung. **g)** Um halb zwölf war er in der Apotheke. **h)** Um zwölf Uhr war er in der Metzgerei. **i)** Um halb drei war er im Reisebüro. **j)** Um drei Uhr war er auf der Post. **k)** Um vier Uhr war er in der Telefonzelle. **l)** Um halb fünf war er wieder zu Hause.

4. **b)** *Um neun war ich* auf der Bank **c)** Um halb zehn war ich auf dem Bahnhof. **d)** *Um* zehn Uhr war ich in der Bibliothek. **e)** Um halb elf war ich im Supermarkt. **f)** Um elf Uhr war ich in der Reinigung. **g)** Um halb zwölf war ich in der Apotheke. **h)** Um zwölf Uhr war ich in der Metzgerei. **i)** Um halb drei war ich im Reisebüro. **j)** Um drei Uhr war ich auf der Post. **k)** Um vier Uhr war ich in der Telefonzelle. **l)** Um halb fünf war ich wieder zu Hause.

5. **c)** ● Wo kann man hier Kuchen essen   ■ Im Markt-Café. Das ist am Marktplatz.
d) ● Wo kann man hier Gemüse kaufen?   ■ Im Supermarkt König. Der ist in der Obernstraße.
e) ● Wo kann man hier parken?   ■ Auf dem City-Parkplatz. Der ist in der Schlossstraße.
f) ● Wo kann man hier übernachten?   ■ Im Bahnhofshotel. Das ist in der Bahnhofstraße.
g) ● Wo kann man hier essen?   ■ Im Schloss-Restaurant. Das ist an der Wapel.
h) ● Wo kann man hier einen Tee trinken?   ■ Im Parkcafé. Das ist am Parksee.
i) ● Wo kann man hier schwimmen?   ■ Im Schwimmbad. Das ist an der Bahnhofstraße.
j) ● Wo kann man hier Bücher leihen?   ■ In der Bücherei. Die ist in der Kantstraße.

6. **c)** An der Volksbank rechts bis zur Telefonzelle.   **d)** Am Restaurant links bis zum Maxplatz.   **e)** An der Diskothek links bis zu den Parkplätzen.   **f)** Am Stadtcafé rechts bis zur Haltestelle.   **g)** An der Buchhandlung links bis zum Rathaus.   **h)** An der Telefonzelle rechts in die Berner Straße.   **i)** Am Fotostudio rechts in den Lindenweg.   **j)** Am Stadtpark geradeaus bis zu den Spielwiesen.

7. **c)** Neben dem · ein   **d)** Das · neben einem   **e)** Das · an der   **f)** Zwischen der · dem · ein · das   **g)** Neben dem · das   **h)** Die · in der · neben dem   **i)** Das · am   **j)** Der · zwischen dem · einem/dem

8. **a)** *Zuerst hier geradeaus bis zum* St-Anna-Platz. *Dort an der* St.-Anna-Kirche *vorbei in die* Mannstraße. *Dort ist dann rechts die* Volkshochschule.
b) *Zuerst hier geradeaus bis zur* Berliner Straße, *dort rechts.* Am Stadtmuseum *vorbei und dann links in die* Münchner Straße. *Da sehen Sie dann links den* Baalweg, *und da an der Ecke liegt auch die* „Bücherecke".
c) *Hier die* Hauptstraße *entlang bis zum* St.-Anna-Platz. *Dort bei der* Telefonzelle *rechts in die* Brechtstraße. *Gehen Sie die* Brechtstraße *entlang bis zur* Münchner Straße. *Dort sehen Sie dann die* Videothek. *Sie liegt direkt neben dem* Hotel Rose.
d) bis **g)**: Individuelle Lösungen.

9. **a)** *zum* · zum · am/beim · am · zur · an/bei der · zur · neben dem
b) zur · über die · an der · an der · zur · Dort bei der Diskothek gehen Sie links in die Obernstraße bis zum Supermarkt. Die Stadtbücherei ist beim Supermarkt, in der Kantstraße.
c) Gehen Sie hier die Bahnhofstraße geradeaus bis zur Tourist-Information. Dort rechts in die Hauptstraße bis zur Schillerstraße. Da wieder rechts in die Schillerstraße und zum Markplatz. Das Hotel Lamm liegt hinter dem Stadttheater, in der Kantstraße.

10. *Pünktlich um 14 Uhr hat Frau Kasulke uns begrüßt. Zuerst hat sie uns etwas* über das alte Berlin erzählt. Danach sind wir zum Platz der Republik gefahren. Da kann man das Reichstagsgebäude sehen. Es ist über 200 Jahre alt, aber die Glaskuppel ist neu.
Dann sind wir zum Brandenburger Tor gefahren. Dort beginnt die Straße „Unter den Linden". Wir haben die Staatsoper und die Humboldt-Universität gesehen. Dann sind wir zum Alexanderplatz gekommen. Dort haben wir eine Pause gemacht.
Nach einer Stunde sind wir weitergefahren. Dann haben wir endlich die Berliner Mauer gesehen. Bis 1989 hat sie Berlin in zwei Teile geteilt. Sie war 46 km lang.
Dann sind wir zum Potsdamer Platz gefahren. Dort sind alle Gebäude neu. Da war die Stadtrundfahrt leider schon zu Ende.

11. **a)** vor dem Radio   **b)** zwischen den Büchern / im Regal   **c)** auf dem Schrank   **d)** hinter dem Schrank   **e)** neben dem Topf / auf dem Herd   **f)** unter der Zeitung   **g)** hinter der Vase   **h)** auf dem Bett / im Bett   **i)** auf der Nase

12. **a)** *Familie Meier*   **b)** Kasper (der Hund)   **c)** Familie Reiter   **d)** Familie Hansen   **e)** Emmily (die Katze)   **f)** Familie Berger   **g)** Familie Müller   **h)** Familie Schmidt   **i)** Familie Schulz

13. *Auf der Couch ist ein Teller. Vor der Tür* liegen Kassetten. Neben der Toilette ist eine Milchflasche. Unter dem Tisch liegt ein Kugelschreiber. Auf dem Stuhl liegt ein Brot. Auf der Vase liegt ein Buch. Auf dem Schrank liegt (ein) Käse. Im Waschbecken liegen Schallplatten. Im (Auf dem) Bett liegt ein Aschenbecher. In der Dusche sind Weingläser. Unter dem Bett liegt ein Feuerzeug. Vor dem Kühlschrank liegt eine Kamera. Unter dem Stuhl sind Zigaretten. Hinter dem Schrank ist ein Bild. Auf dem Regal steht eine Flasche. Neben dem Bett ist eine Dusche. Neben der Couch ist eine Toilette. Vor dem Bett steht ein Kühlschrank.

14. **a)** *auf den Tisch*   **b)** neben die Couch   **c)** vor die Couch   **d)** hinter den Sessel   **e)** neben den Schrank   **f)** zwischen den Sessel und die Couch   **g)** neben das Waschbecken

15. *Dativ:* dem · (dem) im · der · den
Akkusativ: den · (das) ins · die · die

16. **a)** in   **b)** auf   **c)** nach   **d)** Mit   **e)** in   **f)** in   **g)** aus   **h)** auf   **i)** Aus   **j)** zum   **k)** zu   **l)** in   **m)** mit   **n)** in   **o)** auf   **p)** nach   **q)** nach   **r)** zum   **s)** zur   **t)** an

17. a) Menschen **b)** Autobahn **c)** Haushalt **d)** Bahn **e)** Museen **f)** Verbindung **g)** Nummer **h)** Aufzug **i)** Wiesen

18. a) *vom* **b)** am **c)** *im* **d)** in der **e)** am **f)** auf der **g)** nach **h)** auf der **i)** ins **j)** neben der **k)** nach **l)** vor dem **m)** auf dem **n)** hinter dem **o)** in der **p)** in den **q)** unter dem **r)** in der **s)** von zu **t)** zwischen der · dem

19.

Vorfeld	Verb₁	Subj.	Ergänzung	Angabe	Ergänzung	Verb₂
a) *Berlin*	*liegt*				*an der Spree.*	
b) Wie	kommt	man		schnell	nach Berlin?	
c) Nach Berlin	kann	man		auch mit dem Zug		fahren.
d) Wir	treffen		uns	um zehn	an der Staatsoper.	
e) Der Fernsehturm	steht				am Alexanderplatz.	
f) Er	hat		das Bett	wirklich	in den Flur	gestellt.
g) Du	kannst		den Mantel	ruhig	auf den Stuhl	legen.
h) Zum Schluss	hat	er	die Sätze		an die Wand	geschrieben.
i) Der Bär	sitzt				unter dem Fernsehturm.	

20. a) Bahnfahrt, Eisenbahn, Intercity, Bahnhof, umsteigen, Zugverbindungen
b) Autobahn, Autofahrt, Parkplatz, Raststätte
c) Flughafen, Maschine

21. A. (a) in **(b)** in **(c)** nach **(d)** Ins **(e)** in der **(f)** in den **(g)** im **(h)** im **(i)** auf der **(j)** ins **(k)** ins **(l)** in **(m)** In **(n)** in **(o)** im **(p)** nach **(q)** an den **(r)** im **(s)** in der / an der **(t)** im **(u)** nach
B. Individuelle Lösung

Lektion 9

1. a) ~~Mikrowelle~~ – *Musik* **b)** Waschbecken – Haushaltsgeräte **c)** Halskette – Reise **d)** Geschirr spülen – Sport / Freizeit **e)** Pause – Gesundheit **f)** Messer – Schmuck **g)** Elektroherd – Möbel **h)** Typisch – Sprachen **i)** Reiseleiter – Bücher **j)** Hähnchen – Tiere **k)** aufpassen – Haushalt

2. a) Pflanze **b)** Schlafsack **c)** Kette **d)** Wörterbuch **e)** Feuerzeug **f)** Fernsehfilm **g)** Geschirrspüler **h)** Blumen **i)** Reiseführer

3. b) Er hat ihr das Auto geliehen. **c)** Er hat ihnen ein Haus gebaut. **d)** Er hat ihnen Geschichten erzählt. **e)** Er hat mir ein Fahrrad gekauft. **f)** Er hat dir Briefe geschrieben. **g)** Er hat uns Pakete geschickt. **h)** Er hat Ihnen den Weg gezeigt.

4. b) *Der* Lehrer | *erklärt* | Yvonne | *den Dativ.*
Er | | *der Schülerin*
| | ihr

c) Der Vater | *will* | Elmar | *helfen.*
Er | | dem Jungen
| | ihm

d) Jochen | *schenkt* | Lisa | *eine Halskette.*
Er | | der Freundin
| | ihr

e) Die Mutter | *kauft* | Astrid | *ein Fahrrad.*
Sie | | dem Kind
| | ihm / ihr

5. **a)** ... *Ihr kann man ein Feuerzeug* schenken, *denn* sie raucht.
Ihr kann man eine Reisetasche schenken, denn sie reist gern.
b) *Ihm kann man* einen Fußball schenken, denn er spielt Fußball.
Ihm kann man ein Kochbuch schenken, denn er kocht gern.
Ihm kann man eine Kamera schenken, denn er ist Hobby-Fotograf.
c) *Ihr kann man* Briefpapier schenken, denn sie schreibt gern Briefe.
Ihr kann man ein Wörterbuch schenken, denn sie lernt Spanisch.
Ihr kann man eine Skibrille schenken, denn sie fährt gern Ski.

6. **b)** *wann?* morgen   *was? Dienstjubiläum   bei wem?* bei Ewald
1 Zigaretten · *raucht gern – das ist* zu unpersönlich
2 *Kochbuch* · kocht gern – *hat schon* so viele
3 Kaffeemaschine · *seine ist kaputt – Idee ist* gut

Morgen feiert Ewald sein Dienstjubiläum. Die Gäste möchten ein Geschenk mitbringen. *Der Mann will* ihm Zigaretten schenken, denn Ewald raucht gern. Aber das ist zu unpersönlich. Ein Kochbuch können die Gäste auch nicht mitbringen, denn Ewald hat schon so viele. Aber seine Kaffeemaschine ist kaputt. Deshalb schenken die Gäste ihm eine Kaffeemaschine.

7. **Bild 2:** ich   **Bild 3:** ich   **Bild 4:** ihr · sie · ich   **Bild 6:** Sie · ihn/den   **Bild 7:** Ich   **Bild 8:** Ich · du · ihn

8. Individuelle Lösung.

9. **a)** *Bettina hat* ihre Prüfung bestanden. Das möchte sie mit Sonja, Dirk und ihren anderen Freunden feiern. Die Party ist am Samstag, 4. 5., um 20 Uhr. Sonja und Dirk sollen ihr bis Donnerstag antworten oder sie anrufen.

b) *Herr und Frau Halster* sind 20 Jahre verheiratet. Das möchten sie mit Herrn und Frau Gohlke und ihren anderen Bekannten und Freunden feiern. Die Feier ist am Montag, 16. 6., um 19 Uhr. Herr und Frau Gohlke sollen ihnen bis Mittwoch antworten oder sie anrufen.

10.

Nom	*Dat.*	*Akk.*	*Nom.*	*Dat.*	*Akk.*
ich	mir	mich	*wir*	uns	uns
du	dir	dich	*ihr*	euch	euch
Sie	Ihnen	Sie	*Sie*	Ihnen	Sie
er	ihm	*ihn*			
es	ihm	*es*	*sie*	Ihnen	*sie*
sie	ihr	*sie*			

11. **a)** zufrieden   **b)** gesund   **c)** breit   **d)** niedrig   **e)** langsam   **f)** kalt

12. **a)** groß   **b)** nett   **c)** schnell   **d)** klein   **e)** dick   **f)** hoch

13.

klein	*kleiner*	*am kleinsten*	*lang*	*länger*	am längsten
billig	billiger	*am billigsten*	groß	*größer*	am größten
schnell	*schneller*	am schnellsten	schmal	schmaler	*am schmalsten*
neu	neuer	am neuesten	gut	besser	*am besten*
laut	*lauter*	am lautesten	*gern*	lieber	am liebsten
leicht	leichter	*am leichtesten*	viel	*mehr*	am meisten

14. **a)** kleiner   **b)** schmaler   **c)** breiter   **d)** höher   **e)** niedriger   **f)** länger   **g)** kürzer   **h)** leichter   **i)** schwerer
j) schöner   **k)** kaputt

15. **b)** Der Münchner Olympiaturm ist höher als der Big Ben in London. Am höchsten ist der Eiffelturm in Paris.
c) Die Universität Straßburg ist älter als die Humboldt-Universität in Berlin. Am ältesten ist die Karls-Universität in Prag.   **d)** Dresden ist größer als Münster. Am größten ist Berlin.   **e)** Die Elbe ist länger als die Weser. Am längsten ist der Rhein.   **f)** Boris spielt lieber Golf als Fußball. Am liebsten spielt er Tennis.   **g)** Monique spricht besser Deutsch als George. Am besten spricht Natalie.   **h)** Linda schwimmt schneller als Paula. Am schnellsten schwimmt Yasmin.   **i)** Thomas wohnt schöner als Bernd. Am schönsten wohnt Jochen.

16. b) ● *Nimm doch* den Tisch da!
 ■ *Der gefällt* mir ganz gut, aber ich finde ihn zu niedrig.
 ● Dann nimm doch den da links, der ist höher.
 c) ● Nimm doch den Teppich da!
 ■ Der gefällt mir ganz gut, aber ich finde ihn zu breit.
 ● Dann nimm doch den da links, der ist schmaler.
 d) ● Nimm doch das Regal da!
 ■ Das gefällt mir ganz gut, aber ich finde es zu groß.
 ● Dann nimm doch das da links, das ist kleiner.
 e) ● Nimm doch die Uhr da!
 ■ Die gefällt mir ganz gut, aber ich finde sie zu teuer.
 ● Dann nimmt doch die da links, die ist billiger.
 f) ● Nimm doch die Sessel da!
 ■ Die gefallen mir ganz gut, aber ich finde sie zu unbequem.
 ● Dann nimm doch die da links, die sind bequemer.
 g) ● Nimm doch die Teller da!
 ■ Die gefallen mir ganz gut, aber ich finde sie zu klein.
 ● Dann nimm doch die da links, die sind größer.

17. (a) *Ihnen* (b) mir (c) welche / eine (d) eine (e) Die (f) Ihnen (g) Sie / Die (h) die / sie (i) Sie / die (j) mir (k) die (l) Ihnen die / sie Ihnen (m) die / sie (n) mir (o) eine (p) Die (q) Die (r) sie / die

18. a) C **b)** B **c)** A **d)** A

19. A. Musik hören: a), b), c), e), g), h), i)
 Musik aufnehmen: b), h)
 Nachrichten hören: a), c), h)
 Nachrichten hören und sehen: e), h)
 die Kinder filmen: f), h)
 Musikdateien abspielen: b), h)
 Filme aufnehmen: f), h)
 fotografieren: d)
 Filme ansehen: e), h)
 Interviews aufnehmen: f), h)
 CDs abspielen: b), c)
 fernsehen: e), h)

 B. a) *Mit einem Radio kann man Musik und* Nachrichten hören.
 b) Mit einem Computer kann man Musik hören und aufnehmen und Musikdateien und CDs abspielen.
 c) Mit einem CD-Player kann man Musik hören und CDs abspielen.
 d) Mit einer Kamera kann man fotografieren.
 e) Mit einem Fernsehgerät kann man Musik hören, Nachrichten hören und sehen, Filme ansehen und fernsehen.
 f) Mit einer Videokamera kann man die Kinder filmen und Filme und Interviews aufnehmen.
 g) Mit einem DVD-Player kann man Filme ansehen und CDs abspielen.
 h) Mit dem Video Phone kann man Nachrichten hören und sehen, die Kinder filmen, Filme aufnehmen und Filme ansehen.
 i) Mit einem Discman kann man Musik hören (Musikdateien abspielen) und CDs abspielen.

20. b) Den Discman hat er ihr auf der Messe erklärt.

 c) Dort hat er ihr den Discman erklärt.

 d) Er hat ihr früher oft geholfen.

 e) Seine Tante hat ihm deshalb später das Bauernhaus vererbt.

 f) Das Bauernhaus hat sie ihm deshalb vererbt.

 g) Die Großstadt hat ihm zuerst ein bisschen gefehlt.

 h) Später hat sie ihm nicht mehr gefehlt.

Vorfeld	$Verb_1$	Subj.	Erg.	Angabe	Ergänzung	$Verb_2$
a) *Der Verkäufer*	*hat*		*ihr*	*auf der Messe*	*den Discman*	*erklärt.*
b) Den Discman	hat	er	ihr	auf der Messe		erklärt.
c) Dort	hat	er	ihr		den Discman	erklärt.
d) Er	hat		ihr	früher oft		geholfen.
e) Seine Tante	hat		ihm	deshalb später	das Bauernhaus	vererbt.
f) Das Bauernhaus	hat	sie	ihm	deshalb		vererbt.
g) Die Großstadt	hat		ihm	zuerst ein bisschen		gefehlt.
h) Später	hat	sie	ihm	nicht mehr		gefehlt.

Lektion 10

1. **a)** B   **b)** B   **c)** A   **d)** C   **e)** C   **f)** A (B)

2. **a)** *Arzt*, Friseur, Bäcker, Schauspieler, Verkäufer, Lehrer, (Hausfrau), (Minister), (Politiker), Schriftsteller, Polizist, Maler, (Soldat)
   b) *Student*, Passagier, Person, Deutscher, Bruder, Mann, Eltern, Schweizer, Beamter, Doktor, Tante, Herr, Kollege, Schüler, Österreicher, Freund, Chef, Tourist, Junge, Nachbar, Sohn, (Soldat), Ausländer, Tochter

3. **a)** erste   **b)** zweite   **c)** dritte   **d)** vierte   **e)** fünfte   **f)** sechste   **g)** siebte   **h)** achte   **i)** neunte   **j)** zehnte   **k)** elfte   **l)** zwölfte   **m)** dreizehnte   **n)** vierzehnte

4. **a)** einen Brief, ein Lied, ein Buch, eine Insel, ein Land, ein Bild   **b)** einen Brief, ein Lied, ein Buch   **c)** ein Lied
   d) eine Maschine, ein Gerät   **e)** ein Bild   **f)** Fußball, ein Lied, Tennis

5. **b)** von neunzehnhundertelf bis neunzehnhunderteinundneunzig
   c) von achtzehnhundertneunundsiebzig bis neunzehnhundertfünfundfünfzig
   d) von achtzehnhundertfünfzehn bis neunzehnhundertfünf
   e) von siebzehnhundertsiebenundneunzig bis achtzehnhundertsechsundfünfzig
   f) von siebzehnhundertneunundfünfzig bis achtzehnhundertfünf
   g) von sechzehnhundertfünfundachtzig bis siebzehnhundertfünfzig
   h) von vierzehnhundertdreiundachtzig bis fünfzehnhundertsechsundvierzig
   i) von zwölfhundertsechzig bis dreizehnhundertachtundzwanzig
   j) von elfhundertfünfundzwanzig bis elfhundertneunzig
   k) von siebenhundertzweiundvierzig bis achthundertvierzehn

6. Individuelle Lösung

7. **(a)** am   **(b)** Bis   **(c)** Von · bis   **(d)** Nach dem   **(e)** im   **(f)** von · bis   **(g)** In den / In diesen   **(h)** Im   **(i)** bis   **(j)** nach der / nach dieser   **(k)** seit   **(l)** In der / In dieser / In seiner   **(m)** seit der / seit seiner   **(n)** bis   **(o)** nach   **(p)** In den   **(q)** vor seinem   **(r)** im

8. **b)** Sie ist Japanerin. Sie kommt aus Japan. Sie spricht Japanisch.
   c) Er ist Amerikaner. Er kommt aus USA (aus den USA, aus Amerika). Er spricht Englisch.
   d) Er ist Grieche. Er kommt aus Griechenland. Er spricht Griechisch.

9. **a)** Brasilien, *Brasilianerin*, Portugiesisch   **b)** *Frankreich*, Französin, Französisch   **c)** Indien, Inderin, *Hindi*
   d) *Japan*, Japaner, Japanisch   **e)** Schweden, Schwede, *Schwedisch*   **f)** Polen, *Pole*, Polnisch   **g)** Neuseeland, Neuseeländer, *Englisch*   **h)** *Deutschland*, Deutsche, Deutsch

10. **a)** und · aber   **b)** aber   **c)** Deshalb   **d)** Trotzdem · aber   **e)** Dann   **f)** Deshalb · Dann   **g)** oder   **h)** sonst

11. **b)** der Lieder   **c)** des Jahrhunderts   **d)** der Stadt   **e)** des Stadtparlaments   **f)** des Orchesters   **g)** des Landes
   h) der Firmen   **i)** des Turms / des Turmes   **j)** der Geschäfte

12. **b)** *von* seinem Vater **c)** von unserer Schule **d)** von ihrem Chef **e)** von deinem Kollegen **f)** von der Reinigung **g)** vom Rathaus **h)** von unseren Nachbarn **i)** *der Bibliothek* **j)** meines Vermieters **k)** des Gasthauses Schmidt **l)** eines Restaurants **m)** des Cafés Fischer **n)** unseres Arztes **o)** eurer Nachbarn **p)** des Nationalmuseums **q)** *Barbaras Telefonnummer* **r)** Werners Telefonnummer **s)** Hannes Telefonnummer **t)** Jürgens Telefonnummer **u)** Ulrikes Telefonnummer

13. richtig: 3, 4, 6, 8

14. **a)** gehören **b)** raten **c)** gestorben sein **d)** wählen **e)** besichtigen **f)** bestehen **g)** geboren sein

15. **a)** mit einem Freund **b)** dem Freund ein Buch **c)** bei einem Freund **d)** zu einem Freund **e)** einem Freund **f)** für einen Freund **g)** einen Freund **h)** ein Freund

16. **A.** ja: c), f), h), j)
    B. ja: b), e), g), i)

17. (a) Bodensee · Länder / Staaten. (b) Österreich und die (c) Grenzen · Ländern / Staaten (d) ohne · von · in · fahren / gehen / reisen (e) des · die (f) Ufers · zu (g) Schweiz · Kilometer lang · länger (h) Von · bis · Schiffe · Fähren (i) Flüsse · Bäche (j) Er / Der See · lang · breit (k) Touristen an · machen (l) um · wandern / spazieren

18. **a)** nach **b)** Im **c)** an der · auf den **d)** auf den · auf den / über den **e)** um den **f)** durch den (in den) **g)** über die · auf die **h)** durch den · in die **i)** in der **j)** Auf den (Auf die) **k)** in die · in den (auf den)

19. **a)** Buch **b)** Ausland **c)** Meer **d)** Schiff **e)** Tasse **f)** rund **g)** Denkmal **h)** Bad **i)** Fahrrad **j)** Natur **k)** Hafen **l)** Parlament **m)** Klima **n)** Museum **o)** mit dem Fuß

20. **a)** Meistens **b)** Natürlich **c)** ganz **d)** fast **e)** Vor allem **f)** Vielleicht **g)** selten **h)** etwas **i)** oft **j)** plötzlich **k)** manchmal

21. **a)** A **b)** B **c)** C **d)** B **e)** B **f)** C **g)** A **h)** B **i)** B **j)** C **k)** B

22. *Lieber Johannes,*

    seit einer Woche bin ich nun schon mit meinem Zelt am Bodensee. Ich finde es hier fantastisch. Den ganzen Tag haben wir Sonne, und ich kann stundenlang wandern. Die Berge sind herrlich. Nur du fehlst mir, sonst ist alles prima. Bis nächste Woche!
    Ganz herzliche Grüße
    Katrin